讀古文撞到鄉民

走跳江湖欲練神功的國學秘笈

祁立峰——著

目次

輯二 魏晉南北朝的酸民們

輯三 唐朝的魯蛇與勝利組

輯四　宋元的小確幸與大格局

推薦序

以今人眼光諦視先人生活

廖玉蕙
知名作家、國立臺北教育大學
語文與創作系退休教授

作者不但是學術界的新銳，也是優秀的作家。本書結合他學術研究、教學成果與文學創作經驗，用今人眼光諦視先人生活；用現代手法還原遠古情境；用嶄新思維詮釋古老思想；用過往的故事對照現代人的經驗。

作者為拓展讀者更寬廣的視野，甚至避開一般人耳熟能詳的內容，再披沙揀金，進行重組及再創作的工程，因此不落入俗套；因深諳新世代的語境與語彙，充分掌握普及傳播的要訣，所以不淪於深奧板滯，是一本既豐富深入、幽默有趣又容易親近的書。

推薦序

和鄉民認真你就輸了

徐國能
知名作家、國立臺灣師範大學
國文系教授

祁立峰馳電向你邀稿，正是秋天向晚，世局零落的時節。點開檔案，淵博而又機智的祁立峰不改本色，全書又是古文又是鄉民的，似諛似諷之間若有深意。翻了幾篇，像觸電一樣，忽然你想起二十多年前在大學裡念書時對知識與理論的熱切渴望，急忙從電腦前起身，從特力屋買來的資料箱裡，找到了一份竟然還沒資源回收的泛黃講義：「當代文學理論與批評」，啊，你想到了那是多麼遙遠的學生年代，還來不及理解《都柏林人》到《臺北人》的現代主義是怎麼一回事，「後現代」的浪潮便撲面而來。

當時你坐在兩旁都塞滿《明儒學案》、《冊府元龜》、《四庫全書薈要》、《大本原版精印四部叢刊一二三四五編》研究室，讀著夏宇拼貼而成的怪詩，想著黃凡讓人摸不著頭緒的後設小說，試圖理解卡爾維諾《如果在冬夜，一個旅人》的經典究竟何謂？也思索著賴聲川《暗戀桃花源》背後是不是有什麼創作意圖。你想起當時學院氣氛，同學話頭之間總是要來點：顛覆、遊戲、拼貼、去歷史化、諧擬或解構等靈妙術語；寫報告時如果不先抄一段阿多諾、伽達默爾或德希達，簡直不知如何開始。

秋日將盡氣息讓你煩惱、困惑，你不知道這二十幾年是怎麼過去的，那些尊偉的傳統忽焉崩塌、道德離散、威權解體、價值混淆、邊陲反撲、體系瓦解……，連巴布．狄倫都得了諾貝爾文學獎，新的世界品味愈發怪異，而這不正是當年言說後現代時最想看到的情狀？當眾人合力掀翻了巴別塔*，你是不是也有暗中推了一把的喜悅？但你不懂為何在君父城邦潰敗之際，自己會從法蘭克福學派又踱回《杜詩叢刊》和《清詩話續編》；不明白自己在大學講堂討論張衡〈四愁詩〉時，忽然要引出魯迅的名言：「愛人贈我百蝶巾；回她什麼：貓頭鷹。從此翻臉不理我，不知何故兮使我心驚」，面對困惑的青年眼睛說這就是後現代呀！

你於是喝完一杯半冷的咖啡，回了兩則FB留言，再重新看一次祁立峰的文章，在一張論文審查意見書的背面空白處，寫下：

1. 這是一本後現代主義思潮下的作品
2. 透過諧擬的反逆嘲諷世事
3. 網路與全球化
4. 後天記得小組開會要準備瓷杯不能用紙杯
5. 下午需匯錢二千五百元
6. 經典導讀？
7. 還書

＊巴別塔：通天塔之意，本是猶太教的故事之一。一群只說一種語言的人在「大洪水」後從東方來到了示拿地區，並且決定在這裡修建一座城市和能通天的高塔。上帝見此情形，便把他們的語言打亂，讓他們彼此無法溝通，並把他們分散到世界各地，於是人類產生了不同的語言。

不對不對，你心裡警覺了起來，後現代的諧擬，是透過對經典文本的遊戲仿擬，從而解構其原先的威權地位與單一意義，而使之成為更開放的文本，不過這是二十年前的筆記了，現在不知道還是不是這樣？趕快估狗一下，什麼嘛！居然舉《大話西遊》當例子，但你心中說這也不能算錯，至少《西遊記》是一部漢人中心的經典，出了唐土盡是想吞吃唐人的妖魔鬼怪，經過周星馳這麼一攪和，至尊寶與白骨精都成了另一種經典，老西遊反而不西遊了。

然而祁立峰卻反過來，以一個研究六朝詩賦的學者來諧擬當代網路語言：

在蕭綱筆下的孌童還不只是小鮮肉，他眼神帶笑，玉手攀花的情態，基本上又是一個偽娘了（有點不蘇湖）。但君不見當前的演藝圈，有薰愛有鵝叔，還有什麼深蹲下去撿肥皂的，要說寫詩歌頌美少年，就是什麼情色墮落，那現代人豈不都要下地獄了？〈有沒有好詩都在西斯版的八卦〉

但是在這嘻笑的筆下，他隨即正經地說：「說起來守舊與開放是一相對而變動不居的疆界，其實《禮記》裡早有疏導情慾的論述，只是爾後宋明理學的視角下編出的《四書》，將這一部份給屏蔽了。」語言就是思想，守舊和開放的變動不居，不也正是祁立峰這部書的精要所在？你這時忽然想起了「文以載道」的故事，中學時老師都說韓夫子重視道統，以弘揚道統為己任，為文宗旨在於存道；但多少年後才有人為你揭破，韓夫子文章論道，其實是想藉道存文，在道統的掩護下，讓自己的文字與聲名流傳千古，而事實也證明韓愈這個計策成功了，就因為「傳道」一句，中學生便非得讀〈師說〉不可。

因此你明白了，祁立峰原是想透過這些滑稽的諧擬，傳達他精妙的文化解釋，可你想多少年以後，他這種富於才思的語言創造與時代腔調，也會隨著這樣深闊的文化理解而流傳下去，甚至成為未來註解這個時代的重要文獻。

於是你必須新開一個word檔來為祁立峰寫下一些文字，你想寫下：這是第一本由網路語言寫作的散文集，裡面匯通古今觀念，弭平時間距離的一本超譯之作；你也想寫下這是一本純粹的文字實驗品，既已完成、又未完成的世說新語。你還想寫下，這是當代儒生的學案筆記，更幽微地反映了這個時代知識分子的處境與心思。但你更想說這是一部才子憤世淺薄的無聊搞笑之書，裡面卻夾藏著一顆惜護文化、弘揚藝境的幽心。

但你覺得這本書還有太多不可言說的妙味，語言就是思想，但語言總是無法完全表述思想，那些夾藏在鄉民語言中的憤世嫉俗、百無聊賴、自以為是與中二心態，在祁教授的諧擬下已經清楚現形，你想也許祁教授要逼你思考當代網路語言深層的心理哲學，一如《愛麗絲夢遊仙境》本來不是一本兒童文學，而是一座語言的迷宮。

也許多年後你的作品都要消失，但祁立峰的文字卻會留下來，念及此處，你不禁悲從中來，全漢賦中多殘篇，你隨手又把全部打好的字給刪除掉了。但各位讀者，你現在正讀到的又是什麼呢？

自序

歷代的鄉民們

「讀古文撞到鄉民」原本是我在Readmoo「閱讀最前線」專欄的題目，其實接寫這專欄一切都歪打正著。印象中是二〇一五年的凜冷寒冬，我逛書展時巧遇臉友、也是Readmoo的龐文真執行長，她說他們正在考慮推廣古籍電子書，並向我邀稿。草率談完悠忽又忙碌了大半年，遲至那年暑假我才真正將寫的幾篇稿給當時Readmoo的副總編輯臥斧，確定下這個專欄的走向。

貌似我本來取了個更高冷、假鬼假怪的專欄名稱，什麼「古典時光」還「古文時間」之類的，真的要感謝臥斧替我想了這個「讀古文撞到鄉民」如此貼切、直指肯綮的題目。

我正職在學院內任教，但寫作始終是我業餘之外、最執拗也最不忍割捨的興趣，某些程度或時空截面它甚至越界進入到我的研究領域或日常生活。一開始我在報章上寫些雜文，旁敲新聞時事或學術隨筆之礦脈，美其名曰知識型散文好了，但其實以學術圈或專業論文審查的角度來看，這些文章實在稱不上入流。

不只一次我真心想以專職寫作為業，直到我出版了長篇小說。這事說來很恥，即便我自認盡所能的寫出流暢好讀故事了，但那小說之銷量實在淒冷。當時小說的編輯、時報李國祥主編在酒筵歌席鬧著玩說：既然我專長是六朝文學，何不如交一本《六朝豔談》之類的能創造利潤的作品。惟我當時初入學術界，姑且不說此等古典文學普及著作對升等研究績效無益，一弄不好成了歪書淫書，不但不必提其他科系嚷嚷的「產學合作」、「異業結盟」，還從此貼了個不務正業之標籤。

但恐怕就在那一瞬，我有了朝向古典文學普及寫作的志向。開始專欄後，經過一年多的慢燉細熬，如今終於交出《讀古文撞到鄉民》這部作品，它或許沒那麼正經卻不完全是戲謔，沒那麼考究卻不至於在瞎掰，認真地悲傷，同情地理解，這也是我寫作之初衷。

本書共分成四輯，從先秦兩漢思想家，漢魏六朝的詩人或筆記，一路談到唐詩宋詞元曲。坊間普及推廣或概論介紹古典文學的著作很多，但本書收錄的許多篇章不僅是概論的介紹。有些我日常教學的體會，有些我近年研究的心得，更多的是這幾年面對小時代大議題的回應。在這被鄉民悲摧戲稱的「鬼島」，我們經歷了學運、後太陽花、覺醒青年們虎虎洶洶。世代、階級、勞資、地域，各種身分認同交混而對立，天河撩亂、光影散射。所謂的古典文學——尤其是背後牽涉過度的意識形態和強國想像，到底還有沒有足以回應現代議題的可能性，是我始終在思考的。

因此，書中談到了儒家對死刑存廢的看法，談江南士族面對北方強國的心態與認同，或杜甫身經喪亂後對居住正義的辯證。當代網路鄉民喜歡戰男女或戰南北，發文酸訕冷峭，但這不是我島鄉民特有的習性或身世。千百年來的詩人墨客早已面對過這些問題，而他們的這些作品，摒除了中學課本裡文謅謅的教材教法，那可能才是真正的、應該放進括弧裡的「經典」。

從某些意識形態的對極面來看，這些古典文學作品當然可能仍然是廢文，是舊中國封建遺毒，是崇古蔑今的守舊派幽靈。但我仍希望讀者能從書中體會到一些什麼，面對一些什麼。那不一定是充滿正能量的格言。我只想告訴各位——當前我們遭遇的悖論、困境或難題，歷代的鄉民們可能早已經歷過一輪了。他們身處暴亂的年代，面對憂患的不安，或酸諷或反串，或抵抗或妥協。他們或許有異於我們的執著與風骨，也有與我們一樣的猶豫和懦弱。歷史上有過萬人響應的壯舉，也有過無人到場的噤聲。而文明正因經歷了這樣層層的演變與積累，終於成了如今的模樣。

相較其他科系領域與產業界的合作，那種將學術成果專利推廣以為幾千萬鎂，進而運用於改善人類生活與建構未來世界的革命，我覺得自己的科系同樣可以也應然如此。只是無端身是眼中人，升等與評鑑所需要的專書和論文點數，東塗西抹，又如此栩栩如真地糾纏著我輩。但我總覺得縱觀文學史流變，可能就是需要一些無聊無謂的人，認真地去寫那些看似無意義廢文廢詩的人，它們看似無意義，也可能真的毫無意義。然而總有一天，這些無意義成了所有象徵的象徵。

對我而言這只是一個開端。像元好問那首很狂的詩，蚍蜉撼樹，書生技癢，本書有些用詞乃鄉民用語，並非諧音錯字，除此外若有什麼曲解歪讀了的段落或謬誤，完全是屬於作者自己的責任。感謝兩位推薦者廖玉蕙教授、徐國能教授的謬讚，也感謝提供我這個美好小宇宙寫作專欄的Readmoo同仁，文真、臥斧，感謝*FHM*的阿乳，還有雖未謀面卻畫出精湛神圖的馬賽克２Ｄ，時報的國祥主編，也感謝聯經出版的金倫學長、芳瑜主編，因為你們，一切的無意義在此現世之一瞬也就有了熠熠光芒。

祁立峰　於台中

二〇一六年

輯一

先秦兩漢的嘴砲部隊

1 連飯都沒得吃了還在撫琴吟詩

——孔子周遊團「陳蔡絕糧」

日本昭和時期作家中島敦的《山月記》之前於台灣出版，這部改編自中國志怪史傳的小說，絲絲纏纏，將古典文獻中幾個生硬冷澀卻又身世驚奇的人物，以更體貼更柔軟的模型加以重塑，宛如水泥混摻了乳膠漆，將原先平板板訂在牆面上的名字，稜角玲瓏地勾勒出來。

讀過「中國文化基本教材」的鄉民就會知道，《論語》聽起來超經典，但其實不過是一本孔子與其弟子的言行錄。孔老師和學生之間的對話或教誨，多半簡潔俐落，以闡述為宗、不以記事為旨，但《論語》除了諄諄教導，仍有幾則老師與學生互譙的紀錄。有如現在的期中期末考，八卦版上滿滿盡是譙教授嗆助教的廢文。此外《論語》中又有幾個孔門弟子，平常不發文也不常發言，但每次就是扮演那個被老師譙到飛起來的角色——像樊遲、像宰予，這些頑劣學生者流的事蹟留待可以下篇再論，此處談的是孔子與其弟子的周遊團「陳蔡絕糧」的這件春秋大代誌。

孔老夫子開辦的周遊列國團，途中遭遇的最大危難就是在陳、蔡兩國絕糧這事。如果眾鄉民平日有在看《陰屍路》或《我是傳奇》那類喪屍電影就知道，瘟疫滅絕或末日到臨的場景，最怕就是糧食匱乏。而在那樣一個死絕滅盡、七日無火無食的紊亂場景，什麼仁義道德、親親尊尊，忽然都失去了控制，像洪水漫漶，像堤壩潰決。

你不妨想像一個聖母峰登山隊或線上遊戲的副本，瀕臨滅團了的那種窘迫。但儒家文明又如此強調倫理與人際職分，因此在不同的古籍中，都以迥異的角度記錄了這個事件。在《論語》這事說的很輕巧，僅短短三十幾個字：

（孔子）在陳絕糧，從者病，莫能興。子路慍見曰：「君子亦有窮乎？」子曰：「君子固窮，小人窮斯濫矣。」（《論語・衛靈公》）

孔門這些同學裡，子路是說話最直、最不掩藏情緒的人，他只比孔子小九歲，兩

人的關係亦師亦（基）友，根本就腐女版的《新世紀福爾摩斯》了，在《論語》記載中，子路曾經幾度發怒，一次是這次；另一次則是孔子與衛靈公夫人南子會面而導致子路不悅。各位可能會想孔子見南子干卿底事？難不成師徒真有基情？後來在朱熹的《四書集注》中明注此事，因南子有淫行，因此子路對老師走裙帶關係這條路頗有微詞。

在《論語》版裡，子路說的「君子亦有窮乎」不算太直接，意思就是說君子也會那麼潦倒嗎？到了《莊子》中，這樁斷糧嗆師的故事，如歷史課綱般有了微調：

孔子窮於陳蔡之間，七日不火食，藜羹不糝，顏色甚憊，弦歌於室。顏回擇菜，子路、子貢相與言曰：「夫子再逐於魯，削跡於衛……弦歌鼓琴，未嘗絕音，君子之無恥也若此乎？」顏回無以應，入告孔子。（《莊子．讓王》）

這陳蔡絕糧，七日不食的背景基本上差不多，但加了一段孔子絃歌不輟的補充，都沒飯吃了老師還在唱歌，這讓子路更火大，真的沒法堅持繼續挺住了。這句「君子之無恥若此乎」幾乎白話到無須翻譯了：「××娘，有人那麼不要臉嗎？」但子路動怒來得快也平息快，在孔子對之教誨一番後，他旋即舉起干戚一同起舞。

另一本先秦經典《墨子》對此事也有評述，且譏諷程度絲毫不輸今日酸民。墨翟說儒家平日講什麼「肉割不正不食」，然而陳蔡之時，「子路烹豚，孔子不問肉之所由來而食之；剝人之衣以沽酒，孔子不問酒之所由來而飲之」，哇咧，肉拿了就吃，酒拿來就飲，這不就是別人兒子死不完的概念嗎？當然，在百家爭鳴的年代，諸子攻訐未必全然為真，更何況在非常時期，聖人也是人，肉身道場的痛、飢餓與官能的幻覺，之於他也同樣糾結。

此外《孔子家語》也提到這事，且幾個同學之間還幹出偷吃飯、告老師之類的中二行為：

> 孔子厄於陳、蔡，從者七日不食。子貢以所齎貨，竊犯圍而出，告糴於野人，得米一石焉。顏回、仲由炊之於壞屋之下，有埃墨墮飯中，顏回取而食之。子貢自井望觀之，不悅，以為竊也。（《孔子家語》）

我們知道孔門同學裡，子貢最有經濟學概念，算小商人等級，他想辦法弄來一石米，所謂「有酒食先生饌」，交給顏回、子路去烹飪。剛煮好的飯被土弄髒了，節省的顏淵想說自己先吃了。結果子貢窺探到這一幕就怒了（他為什麼要去偷窺人家炒飯，不，我是說煮飯咧？）想說這個顏淵有夠假掰，平常唬爛自己什麼一簞食一瓢飲，現在末日到臨，飯才剛煮好就自己先偷吃了，不過是蠅營狗苟、雞鳴狗盜之輩。同樣在老師的安撫下，糾紛才得以冰釋。

與基督教「最後的晚餐」那種悲壯殉道相比，我覺得儒家教養與文明都來得更貼近現實人生。在日常裝配履帶運行過程中，我們尊師重道、循規蹈矩；但非常時刻的師生、君臣、父子倫常，都得以切換成另一種變通而婉轉的模式。因為倫理始終來自於人性，這可能就是儒家講的本體論——那顆超越存有的果核之心——「仁」的意義。而這也可能人之所以為人、最核心的意義。

2 孔老師為什麼討厭我？

——那些年孔子教過的劣徒們

在上一篇提過，我們那些年都讀過的、硬梆梆的文化基本教材《論語》裡，孔子的聖人形象就有如故宮博物院前——雙手交疊，毀人、我是說誨人不倦的那尊雕像般，瞻之彌高、仰之彌堅。但事實上若以更抒情、更感性的邏輯來解讀《論語》，孔子開的也不是那種不點名、不開罵的營養學分。我們現在喜歡說大學生什麼孺子不可教，什麼人形墓碑，孔老夫子固然沒有五十道陰影，但孔門賢人中仍有抖M的頑生劣徒，有待他老人家好好調教。

而也因為《論語》的傳播流佈，這幾個負面形象的學生也就此被定型，說起來也是有些小確衰。子張還算好一些的，在《論語》出現次數並不多，他曾向孔子請教過「干祿」和「達」的問題。老師這麼回答他的：

子張學干祿，子曰：「多聞闕疑，慎言其餘，則寡尤。多見闕殆，慎行其餘，則寡悔。言寡尤，行寡悔，祿在其中矣。」（《論語．為政》）

「言寡尤，行寡悔」就是說話少失言，行事不後悔的意思，若做到這兩點就可以居祿當官了。可是看看我們那位、常常「又施鹽（失言）了」的柯市長……至聖先師的這則教條好像也沒那麼準確。

從現有文獻來看，子張大概是孔門中對政治有興趣的同學，有如藝能界小模或政治素人般、妄想一朝暴得大名的那種。要知道——儒家文化雖然講入世、講經世濟民，但那是在「用之則行，舍之則藏」的大前提下。你可能會說這種謙讓溫良很假掰，但看看《論語》裡「各言其志」的那一段，裡面最假掰的曾點志願是什麼？「莫春者，春服既成。冠者五六人，童子六七人，浴乎沂、風乎舞雩、詠而歸。」這話說得太漂亮了，若換成我們藺居魯蛇，就是春天來了的時候，穿著我的荷葉邊系服、上網追劇追到爽，去八卦版發篇廢文然後洗洗睡回家，哇咧這算什麼志向？孔子竟然還說了「吾與點同」，看得我也是醉了。林語堂解釋說這是孔子的幽默，確實也是有點幽默。

因此，急功好利求於聞達的子張，顯然不討孔子歡心。另一個同樣衰小的是樊遲。一般認為樊遲資質領悟力都比常人更低弱，但要知道孔門七十二賢人皆非等閒之輩，樊遲只能說是在資優班裡吊車尾的。除了聽不太懂孔子的教誨之外，樊遲還曾經向老師請教過怪問題：

> 樊遲請學稼，子曰：吾不如老農。請學為圃，曰：吾不如老圃。樊遲出，子曰：小人哉，樊須也。（《論語．子路》）

孔子也不是故意偷婊學生，他的邏輯是上位者好禮講信，自然風行草偃，這裡的「小人」指的是眼界淺薄之人。要知道諸子百家講的都是為政之道，孔老夫子也是以致君堯舜為使命，問他會不會去開心農場種菜，就好像找《偵探伽利略》的湯川學教授教你寫小說；找《達文西密碼》的蘭登教授問他會不會打電動。總之樊遲就落了一個小人的污名，好在六藝的「禮樂射御書數」裡，樊遲專長是駕車，也就是駄獸，算咱

們阿宅當工具人的始祖，所以一直沒被踢出孔門弟子當中。

至於宰予，當真可謂是孔子學生裡出了名的拐瓜劣棗，最著名的就是宰予白天睡覺，被老師以「朽木不可雕也，糞土之牆不可污也」來譬喻。千百年來這句話成了罵學生的專業形容詞，其實孔子後文還有一句，說「於予與何誅」，就是說宰予已經放棄治療了，又何必在意。說起來我們網軍都是晝伏夜出的，白天睡覺算不了什麼，孔子和宰予的恩怨為何如此之深，我覺得這可能得追溯到另外一則記載：

> 宰我問：「三年之喪，期已久矣。君子三年不為禮，禮必壞；三年不為樂，樂必崩。……」子曰：「食夫稻，衣夫錦，於女安乎？」曰：「安。」「女安則為之！夫君子之居喪，食旨不甘，聞樂不樂，居處不安，故不為也。今女安，則為之！」（《論語．陽貨》）

宰予對父母過世守喪三年的禮教有所質疑，且他用了當代酸民的反串方式。儒家講制禮作樂，宰予問若守喪三年，豈不禮崩樂壞了嗎？這可是以矛攻盾或阿基里斯追龜*的詭辯。若各位對先秦思想還熟稔，便知道「薄葬」、「非樂」其實是墨家的主張，不僅為了財貨的節省。在那個農業時代，任何人力都是勞動力與國家總體的經濟表徵，因此，守喪或許有禮教的意義，卻成為經濟的蠹蟲。

看得出來這裡老師又怒了，他跟宰予說父母不在了，食之無味、聽樂不樂，這是守喪的由來。宰予前腳剛走，孔子就罵宰予「不仁」，君子能不能背後講人壞話，《論語》沒記載這條，但道不同不相為謀，就像小英總統說的——沒有誰該為了自己的認同而道歉。

我們現在已很難想像在百家爭鳴的大時代，諸多思想家彼此論述、攻訐，為了百姓社稷、君權與正義的各種腦力激盪極限運動，宛如煞車皮摩擦過高溫的柏油路面發出嘰呀呀聲響。這些是非或義理，以前讀得理所當然，而今看卻又多了縫隙。我覺得

---

*阿基里斯追龜：古希臘數學家芝諾（Zeno of Elea）提出的著名悖論之一。假設烏龜和阿基里斯賽跑，烏龜提前跑了一段，那麼當阿基里斯到達烏龜的起跑點時，烏龜也往前爬了一段距離；如此直至無窮。所以阿基里斯永遠追不上烏龜。

這可能就是古典時期思想家留給我們的箴言——世界上沒有絕對的真理，而我們始終擁有表述的權力，即便異見之間充滿矛盾針鋒，但它們是如此激昂，如此坦率。這可能才是我們所謂的言論自由的真正價值。

3 一下廢死一下判死，老師搞得我好亂啊！

——儒家對死刑的主張

隨機行兇甚或是殺童好似成了這幾年的新聞關鍵字，每每當巨大難以承受的惡耗過後，伴隨而來集體無意識之憤怒、脆弱或恐慌，幾經驗算，總歸結到死刑存廢的爭論上。若說生死大權大限得自於天，由至上命令所主宰，那麼討論廢死之課題，恐怕也非人類的道德律得以負載。

然而刑罰的量度，教化的施用，人的善惡本體論……這些議題早在先秦諸子就已有充分討論，我們或許可以從繼續從《論語》切入。我覺得從理念或主張來看，孔子並不贊成無限度的死刑論，甚至可謂隱然有廢死的內在理路：

季康子問政於孔子曰：「如殺無道，以就有道，何如？」孔子對曰：「子為

政，焉用殺？子欲善而民善矣。君子之德風，小人之德草。草上之風，必偃。」（《論語・顏淵》）

這段論述很著名，不過可以細究的或許是季康子的問題：「殺無道以就有道」並不僅止於「殺壞人保障好人」的邏輯。那是一種肅殺戮戮的集體畏懼，你可以想像成國家集體暴力的年代，如蓋世太保或白色恐怖。那麼孔子將之代換成上行下效、風行草偃的道德教化，很可能更具效度。畢竟我們中學都背過儒家先禮樂後刑罰的主張，然而刑罰不能廢，「刑罰不中，民安所措其手足？」

另外一個可與之對照的反例，是孔子誅魯大夫少正卯。這段《孔子家語》的記載還有個前言說「孔子為魯司寇，攝行相事，有喜色」，咱們孔老師才入閣七天，就斬了少正卯，比柯P百日新政還威還狂。如果咱們換了個法務部長，喜形於色，記者麥牌督*過去問他：「部長你開心什麼？」部長說：「我想到快要可以槍斃人犯了，心裡很爽」，那廢死聯盟還不把他譙到飛起來？儒家雖說「禮下不庶民，刑不上大夫」，但遇到大夫之惡、禍國殃民，還得除之而後快。

我覺得更有趣的例子是齊魯兩國的頰谷之會，此處孔子不僅沒再提他的廢死宣言，反而未審先判，親上火線按下電椅開關：

> 孔子相焉，兩君就壇，兩相相揖。齊人鼓譟而起，欲以執魯君。孔子歷階而上，不盡一等，而視歸乎齊侯，曰：「兩君合好，夷狄之民何為來？」為命司馬止之……齊人使優施舞於魯君之幕下。孔子曰：「笑君者罪當死！」使司馬行法焉，首足異門而出。（《春秋穀梁傳》）

這段有個前因，齊魯兩公會於頰谷，齊國諸多矮化，比方說不准掛國旗、明明總統卻稱先生之類的，孔子應當是忿怒在先了。爾後齊國還派了個侏儒來魯公帳前歌舞，孔子認為這已經是內亂外患罪了，直接將侏儒斬首。這事看起來霸氣，簡直就像衝去地檢署門口，給兇嫌一記正義之拳那麼理所當然，但在儒家循循善誘的脈絡之

＊麥牌督：麥克風牌……督過去。

下，卻顯得很突兀，因此歷代諸儒對此段頗有質疑，到了宋明理學的朱熹手下，更直接將此段刪芟隱去。於是我們在《左傳》和《公羊傳》再也看不到這段孔子斬首秀的隻字片語。

我覺得重點不在於孔子到底有沒有炮製伊斯蘭國，演出這場砍頭秀，而是對後代儒家信仰者而言，這不該是至聖先師應當有的舉措——衝動、暴怒、殺人以立威……制度與禮教都應該中立、親親尊尊，君君臣臣，就像矇著眼依據天秤砝碼進行審判的正義女神。

若義憤服膺死刑的追隨者，或許更青睞《荀子》的說法，堅持「人之性惡，其善者偽也」的荀子，自然非常倚重刑罰：

> 人固莫觸罪，非獨不用肉刑，亦不用象刑矣。……罪至重而刑至輕，庸人不知惡矣，亂莫大焉。凡刑人之本，禁暴惡惡，且懲其未也。殺人者不死，而傷人者不刑，是謂惠暴而寬賊也，非惡惡也。（《荀子．正論》）

先秦古文中的「偽」通常不是偽造的意思，而是人為的意思。此處「象刑」即是墨刑，也就是臉上烙印。相對「肉刑」切割身體造成機能損失，墨刑看似較輕，但所造成的恥辱並無不同。《荀子》這段說得很清楚，若罪重刑輕，庶民不知惡的殘忍嚴重，在感化失能、教育無用的前提下，我們只得動用刑罰，禁止暴亂，打擊邪惡。於是乎有了「殺人者死，傷人者刑」這套律令，讓加害者遭受到與受害者一式一樣的疼痛、創傷與身心靈的折磨。

當然，討論到善惡、正義、罪愆與悔悟，那可能是更深刻的辯證。死刑是否是為了報復？到底要對待加害者到怎樣的程度，他才能體會被害者及家屬的創痛。殘忍、贖罪、苦難或反省……是可以量化還是僅裝模作樣？從杜斯妥也夫斯基的《罪與罰》以至於吉田修一的《惡人》及《怒》、東野圭吾《空洞的十字架》，文學作品在在觸及了這些議題。就邏輯或法條而言，這些或許有解，但到了情感與救贖的層面，一切都如煙塵飄渺，不可解也不可說了。

我們義憤拳拳區辨出善惡與好壞，好讓自己看起來與加害者何其不同。只是回到那個率獸食人的古代，戰亂與殺伐太多太頻仍了。聖人也是人，在某個紊亂、失控、

義憤的一瞬，難免會背離了理想。因此理想始終是理想。苦難不可逆，不可量化，無論懲罰或寬容，當這些詞彙進入現實生活都無比沉重。我想這也是經典所教導我們的、一條始終未完成的辯證之旅。

《論語》

由孔子的弟子及再傳弟子所編，記錄孔子的言行，為儒家重要經典之一，在《四庫全書》中歸類為經部。現存的《論語》共二十篇，四九二章。每篇篇名取自正文開頭，或「子曰」、「子謂」後首句的前二、三字。以〈學而篇〉為首。

4 我只想當一個好人

——孟子與他的性善論

之前我們介紹過《中國文化基本教材》許多老師沒教的事——像《論語》裡的假掰事蹟，或孔子與劣徒的嘴砲實錄。但說起諸子百家爭鳴的自由年代，最該介紹不容遺漏的應當是先秦的引戰王、檢舉王——孟子。

孟子本名孟軻，他提出的「性善論」最著名，且如他那句「予豈好辯哉？予不得已也」的名言，在那個嘴砲無敵、民智大開，甚或說言論太自由的時代，各種學派異見有如《星際大戰》裡紅藍光劍迸發散射的場景。透膚入骨，血肉淋漓了，還講《論語》裡親親尊尊、君君臣臣那一套，難免有些緩不濟急。於是在《孟子》中我們眼見更直截、更裸露的論辯，爭鋒相對，唇槍舌劍，非得屈人之論而後快。

但回到那個一切選擇與信仰或多或少都有點不得已的年代，我們也不用急著去檢

舉孟子發的引戰文、討嘘文。他的戰神性情抽絲剝繭到最末端，其實是諄諄教誨，而他的那些暴烈掏心剖肺到最深處，其實有款款溫柔。這可能是孟夫子的「人性本善」信念發揚到了最極端、最使命感的宗教家格體，簡易工夫循循善誘，有如圓教。

應對這幾年社會上反覆輪播的隨機殺人、愉快犯等大規模的毀滅性恐慌，我覺得回過頭來談所謂的性善性惡，或許是很恰當的時機。我們可能知道孟子主性善，荀子主性惡，但誠如《正義：一場思辨之旅》的出軌列車命題，「人性」豈是那麼熱燙燙的鐵板一塊？在《孟子》中有〈告子〉一篇，主要是孟子與另一個主張「性無善無不善」的思想家告子之論辯。告子或許也有專著，不過如今已散佚，因此我們僅能從《孟子》或《墨子》裡讀到隻言片語。在與孟子交鋒過程中，告子的論述被相對完整地記載下來：

告子曰：「性無善無不善也。」或曰：「性可以為善，可以為不善。是故文、武興，則民好善；幽、厲興，則民好暴。」或曰：「有性善，有性不善。是故以堯為君而有象；以瞽瞍為父而有舜；以紂為兄之子，且以為君，而有微子

啟、王子比干。」（《孟子．告子》）

我們暫且不論孟子怎麼發廢文反嗆他，「有性善，有性不善」反身來說就是性無善無不善，告子將「人性」視為一絕對中性的想像懸念物，隨時或隨環境改易。我們不用親身去混跡當慘綠少年或八嘎囧（8＋9）、飆仔，就算看「民視異言堂」或「東森調查報告」也多少看過這樣的例證——隔代教養的輟學少年，被吸收進入幫派，從而嗑藥飆車幹架滋事，幾經牢獄卻始終無法脫離惡之教典……這是環境影響人性，同樣是不得不然，難以轉圜脫身。告子說賢君文王、武王的時代則百姓良善；暴君幽王、厲王的時代則百姓殘暴，這其實是《論語》「風行草偃」論述的複寫。時代造就人性，性格決定命運（我是中信體上身了嗎？）這當然解釋得通。

而「性有善有不善」或許更接近反廢死論者的主張。因為有一群人與我們不一樣，他們就是天生為惡者，如舜那個昏庸青瞑的老爸瞽叟，如即便有比干等賢臣輔佐卻依舊為惡的商紂王。這個說法聽起來也頗合理，於情可采、於理亦可徵。近來我們有《4%的人毫無良知，我該怎麼辦？》的研究專著，足以印證告子此說。

我對善惡好壞可能持更未定的理解，善惡可能的辯證性太多。用傅柯《瘋癲與文明》之想像，我們的良善社會試圖將另外一群瘋瘋、具傳染力的非正常人予以隔離，流放至異托邦，以證明自己才是那個正常人。在隨機殺人新聞再次爆發後，我看到朋友在臉書宣稱自己終其一生也不可能成為殺人者，但我沒那麼樂觀，若再次倒回到那個洪水猛獸、率獸食人的混沌時代，不可抗拒力太多了，像電影《奪魂鋸》的台詞：「為了活下去，你願意流多少血？」

相較來說，孟子的主張反而顯得單純而天真，他所謂的好辯或我們今日解釋的嘴砲，其實更具宗教使命，更像我們在周星馳《大話西遊》裡的唐僧，以人妖之辯說得對手不能回嘴：

> 告子曰：「性，猶湍水也；決諸東方則東流，決諸西方則西流。人性之無分於善不善也，猶水之無分於東西也。」孟子曰：「水信無分於東西，無分於上下乎？人性之善也，猶水之就下也；人無有不善，水無有不下。」（《孟子・告子》）

性如「水之就下」這個譬喻很出名。大概你拿再多的數據理論，或哪個人犯在看守所內還笑打籃球的照片出來，孟子依舊會用水往下流這個譬喻來說服你，這就是使命、是信念，是一近乎於宗教家救苦救難的情懷。從這角度來看，《孟子》裡被嗆到飛起來的告子，其論證可能更具有科學主義精神，更符合如今我們對人性的想像。

但說到底，善惡好壞到底如何生成，又如何遂行？我們怎能保證此後生命無論任何情境都能兢兢業業做一個好人？我總會想到吉田修一《惡人》裡的清水祐一，想到山田宗樹《令人討厭的松子的一生》的松子，他們無心作惡，更非透過犯罪滿足貪婪或得到歡快的惡人。相反地，他們始終追尋著幸福，一心要往美好的、往良善的硬幣另一面躍進，攀住那條救贖的蜘蛛絲，但就因為幸福太艱難，寂寞太灼熱，所以他們不斷讓自己、讓周遭的人受傷。

那是真正的悲劇啊。看著一個好人逐步被環境、被東西漫漶的水勢驅使，變成自己本來不該是的樣子。於是我好像終於才讀懂《孟子》，讀懂他所提倡的那個性善論。

5 文青VS.小農

——孟子與農家的爭鋒

前一篇我們談到孟子與告子之間那場關於「人性」到底有無善惡的辯證。其實同段論證裡，告子還說過另一句著名的話——「食色性也」。確實，貪食好色乃人類維繫生命和繁衍後代的驅動力，而這樣的饞相或淫心即便非刻意為惡，但也與什麼仁義禮智相去甚遠。在未能觀察基因或去氧核糖核酸的年代，告子也算是敏銳掌握到人類演化學的核心。

然而在先秦諸子爭奪話語權與追隨者的背景下，告子還不算影響力大者。當時信徒最多且論述最直截具感染力的，照《孟子》裡的說法應該是楊朱與墨翟。楊朱主張保全自身，而墨子則倡導兼愛，這兩個思想領袖都被孟子痛婊過，說他們「無父無君，是禽獸也」，但至少他們都能成一家之言，照鄉民的說法，做了就禽獸，不做連禽獸都不如。

除此兩派之外，還有許行所領導的農家一脈。先前我們談《論語》，就曾記載樊遲向孔子請教莊稼的對話。親身躬耕，自食其力，在那個戰亂頻仍、朝不保夕的喪亂世局，代表的即是與鳥獸同群、潔身自好的隱世生活。孔子也曾經被隱者以「四體不勤，五穀不分」嘲訕，足見此學派的影響力。

其實從今日食安風波、小農經濟或有機樂活的文創市集之角度來談，親身耕作沒啥不好，之前不是還有什麼貴婦團跑去農村遊樂體驗營，爽當一日農夫，還碰巧坐到阿帕契兼打卡。而從文青一點的角度來說，日出而作，日落而息，以硬派之身體勞動，透過酸疼與疲憊向這片我們生長於斯的土地討索收穫，以小宇宙符應大宇宙，公轉自轉，與萬化冥合。這份領會聽來浪漫又靜好，宛如〈桃花源記〉一群鄉民為避秦時亂來到芳草鮮美的烏托邦，「不知有漢，無論魏晉」。

從許行弟子與孟子的論辯中，我們還可以穿過迢遠時空，揣度農家那以莊稼為事為樂，將一切物質慾望極其壓縮、認為光憑著肉體勞作就足以改變整個世界那樣的志趣：

孟子曰：「許子必種粟而後食乎？」曰：「然。」

「許子必織布而後衣乎？」曰：「否，許子衣褐。」

「許子冠乎？」曰：「冠。」

曰：「奚冠？」曰：「冠素。」

曰：「自織之與？」曰：「否。以粟易之。」

曰：「許子奚為不自織？」曰：「害於耕。」（《孟子．滕文公》）

可以看得出來這段對話裡，孟子竭力吐槽嘴砲之能事，且他嗆聲的白爛程度已經接近屁孩等級——「啊許行是在大聲什麼？他會自己織布嗎？」、「啊他不會織布的話戴啥毀帽子？」、「幹嘛不自己織布編帽子還跟人家以物易物？」……根本就像棒球版酸民講不過別人，就說「啊不爽你自己上投手丘投投看」的嗆堵，沒有很可以，但孟子嗆不起。當然，孟子的邏輯是社會仰仗百工之人才得以運作，男耕女織，以物易物已經是上古時代的醇酚幻夢，可能再也回不來了，於是就有了這段看似找碴的問答。

我們之前也說過，儒家講親親尊尊，重視社會制度和階級。不是說普天之下莫非王土那一套，但所謂的「民為貴，社稷次之，君為輕」，卻仍得要有領導者，要有所謂「食於人」的勞心者來為人民表率。以農民為尚那可能是共產主義的階級鬥爭，但孟子及其代表的儒家，終究是徹底老練的右派。為政譬若北辰，儒家終究期待一位聖王出世設定一套諄諄循循的絕對秩序。所以就得出了我們以前國文課都學過的、孟子最終的論述：

> 然則治天下獨可耕且為與？有大人之事，有小人之事。且一人之身，而百工之所為備。如必自為而後用之，是率天下而路也。故曰：或勞心，或勞力；勞心者治人，勞力者治於人；治於人者食人，治人者食於人：天下之通義也。（《孟子．滕文公》）

人因階級與智能被區別為「勞心」與「勞力」，「食人」與「食於人」（食是豢養的意思，不是電影《食人煉獄》那種食人）兩類，進而發展到現代社會，我們有了受薪階級，有了慣老闆，有了鄉土劇裡東扣西減，最後告訴你一整年才上班一天還敢請

假的老闆神邏輯。

但我也覺得不用急嚷嚷將如今的貧富或階級對立歸咎於儒家文化，在那樣一個硝煙烽火，思想言論如煙花迸發的時代，孟子確實得以更直截、更挑釁的言論，來宣揚這套賢君聖王的大道。《孟子》中保留了儒家與農家的激烈爭辯，我們得以一窺許行及其農家所勾擘的世界觀。在那個人人自食其力，再無哄抬、無仲介詐騙而童叟無欺的理想國裡，它至少曾經如此遂行過。

之前我們才為了跨國詐騙集團而騰掀江湖惡風波，我覺得詐騙集團真是邪惡之處不僅是金錢的訛取，更是讓人與人之間的信任與善意徹底瓦解。那上古時代曾經存在著的、人與人之間最原始的信賴感，那理當才是農家的思想家真正要追尋的。當然，隨著時代這樣的思想被兼併或消滅了。但如今我們仍能從保留下來的經籍中，一窺那個信仰飽滿堅定，最黑暗卻又最光明的時代。

《孟子》

記錄孟子言論思想的著作，完成於戰國中後期，在《四庫全書》中同樣歸為經部。其來歷各家說法不一，目前比較可信的說法是由孟子本人自著，其書為語錄體，採問答方式展開，主要思想為性善論，認為人皆有四端，以仁義為其學說本體。

6 想我嘴砲的兄弟

——莊子與惠施

我們中學時讀《中國文化基本教材》，多少都背過孟子「予豈好辯哉」那一段。先秦儒家裡最嘴砲的人物大概就屬孟子無誤。他大老遠跑去遊說梁惠王：「王何必曰利？（你聽過安麗嗎？）」百家爭鳴的時代，一派思想要想成一家之言，總得有幾個博學強辯、嘴砲無敵的人物。各位不妨想像批踢踢具象化到了戰國，九流十家的思想領袖與追隨者，每天發文引戰，嘴砲打臉，生機蓬勃，好不熱鬧。

相對於儒家，道家一派戰神大概就是莊子了。《莊子》全書分為內、外、雜三篇，一般認為外篇與雜篇出於莊子後學的論述摻雜，真正出於莊周本人親自撰寫的，大概是以〈逍遙遊〉為首的內七篇。

在〈逍遙遊〉中有幾個寓言也特有名，像大鵬鳥與蜩、學鳩的對話，一株枝枒太過扶疏以至於木匠認為無用的大樹。我有次翻報紙看到健康養生版，斗大標題是「大鵬鳥和小鳥誰比較逍遙？」陡然一驚，這不是應該放在文學副刊才對嗎？再定睛一瞅發現作者是某某泌尿科醫師，這才恍然領略，足見此寓言之流傳廣泛。

然而提到戰神莊子，就不得不提他的嘴砲夥伴惠施。惠施今僅存「歷物十事」的斷章，就其內容推測，他談的可能是類似公孫龍、魏牟或墨翟的邏輯詭辯。然而在《莊子》的寓言中，惠施成了引戰的稻草人，簡直就和「我夢到」爆卦差不多，惠施被寫成八卦版或水果週刊中影射的對象，想提告都未必能贏。

之前柯P被媒體追問有沒有考慮選總統時，說了一個「鳳凰不吃死老鼠」的典故，此典正是出於《莊子》的〈秋水篇〉，這檔事就和惠施有關：

> 惠子相梁，莊子往見之。或謂惠子曰：「莊子來，欲代子相。」於是惠子恐，搜於國中三日三夜。莊子往見之，曰：「南方有鳥，其名為鵷鶵……鴟得腐鼠，鵷鶵過之，仰而視之曰：『嚇！』今子欲以子之梁國而嚇我邪？」

比喻中的這隻鴟誤以為鵷鶵要搶牠的獵物，於是以恫嚇狀聲，在莊子比喻的全面啟動世界裡，惠施就變成了叼著死老鼠不放的小氣鬼。爾後李商隱「不知腐鼠成滋味，猜意鵷鶵竟未修」這兩句詩，也用了這個典故。《莊子》常常寫這種動物對話的寓言，像前面說的蜩鳩之於大鵬鳥的嗆聲。看起來莊子好像認為我輩應當立鴻鵠大志，當鳳凰、當鵬鳥，但在郭象的注解裡，他卻更進一步提出「物任其性，逍遙一也」的說法。無論當不當大鵬鳥，都可以很逍遙。

但姑且不論逍不逍遙，惠施成為《莊子》寓言裡的悲劇甘草人物，更慘的是他還沒得回嘴，只能說別讓惠施不開心。而他最糗的莫過於那只沒用的大葫蘆：

> 惠子謂莊子曰：「魏王貽我以大瓠之種，我樹之成，而實五石。以盛水漿，其堅不能自舉也。剖之以為瓢，則瓠落無所容。非不呺然大也，吾為其無用而掊之。」莊子曰：「夫子固拙於用大矣……」（《莊子．逍遙遊》）

惠施說魏王贈他的這大葫蘆，既不能當水壺也不能當水瓢，於是只好給它砸爛了。莊子給惠施的建議是何不將這葫蘆做成大船，飄流於五湖四海。啊你說這不成了老年惠施的奇幻漂流？這景象魔幻、爛漫而失真，彷彿有光般的靈氛熠熠，但遇到激流或颱風怎麼辦？說起來，最不符合常理的蠢話和夢話，往往都可以當成浪漫的情話。

不過酸歸酸、嗆歸嗆，莊子與惠施這對好基友，不，我說好朋友，仍然經常膩在一起，談心抬槓，像鐵哥們似的透過互嗆來表達關心，這可能就是男子氣概底層最款款溫柔的深情。他倆諸多的嘴砲中，最有趣的大概屬「濠梁之辯」，這故事大家都知道，莊子說：「鯈魚出游從容，是魚之樂也。」惠施回他：「子非魚，安知魚之樂？」於是兩人就為了這幾條魚魚快樂與否展開主體與客體的哲學辯證，我真的很想點一首五月天的「你不是真正的快樂／你的傷從不肯真正的癒合」給他倆。

不過咱們暫且擱置那些形上學，有時我在想無論一個人以怎樣卓絕雄偉的身影與形象存在著，但他總還是要有個能互酸互嘴、卻不曾真正撕破臉的哥們或閨密，為了戰贏對方而調度了全世界的機鋒與酸話，這可能才是兄弟真正的定義。於是乎惠施的大名就與《莊子》這部道家的思想經典一齊進了歷史，被記載流傳了下來。

7 鴛鴦蝴蝶夢

——莊子的全面啟動世界

最近有一個聯誼網頁的說明與規章，在八卦版再度引起論戰。網頁裡對於報名聯誼的男生、女生條件作了極其量化而限縮的規定。男生被規範以年薪、身高、職業項目，女生則以體重、以三圍、以年齡框範。那些什麼親切體貼，溫柔暖軟，善解人意，或者是真正的牽絆與愛，再也毫無意義。

關於這樣的社會性傾向，我們現在會用一個詞彙叫「物化」來定義。其實物化來自現代主義，但人類原本的自由意志與知識理性淪為了工具理性，阿宅只能是工具人，是提款機是便利屋是馱獸。更簡而言之，就是人變成了物體，以好用不好用的功能性來評量。

然而若深入追究這個詞彙的來源與格義，「物化」這個詞的典故，其實來自於前一篇所介紹的《莊子》。上一篇講莊子與惠施的文章，已經談到這對嘴砲兄弟哥倆好的互酸互嗆，但《莊子》書中有個多深刻的哲學命題，我覺得最值得介紹的是關於夢境的片段，比如我們經常講的「莊周夢蝶」這個典故：

> 昔者莊周夢為胡蝶，栩栩然胡蝶也，自喻適志與！不知周也。俄然覺，則蘧蘧然周也。不知周之夢為胡蝶與，胡蝶之夢為周與？周與胡蝶，則必有分矣。此之謂「物化」。（《莊子・齊物論》）

莊子在夢中栩栩羽化成了蝴蝶，於是他不再記得自己是莊子，而以為自己原本就是蝴蝶，只是某個夢醒糜爛的一瞬間，作了一場自己是莊子的夢。這個寓言太漂亮了，這個隱喻太迷離了。詰根刨底來追問：這場夢到底是關於莊子還是蝴蝶？是蝴蝶夢到莊子於是過了莊子的一生或恰巧相反呢？

現實與夢境的辯證，這讓我們想到佛洛伊德與他的名著《夢的解析》，但我想到的是佛洛伊德另一個「燃燒嬰孩」的舉例，一個父親夢到他的孩子在嬰兒床上燃燒起

來，於是他猛然驚醒。佛洛伊德說這是因為他無法接受夢境中的真實，於是逃逸到了現實世界。

而談夢境最機巧、最冥契難解的核心，也就在這樣的夢境與現實之辯證。眾所周知的唐傳奇《南柯太守傳》或《杜子春》，都有過這樣的片段，假作真時真亦假，就像伊藤潤二*的經典漫畫《長夢》，如果整晚的夢比此世的整個人生還長的時候，那現實與虛構的界線不就徹底被破除了嗎？現世的日常與人生，可能只是一次虛構的液晶頁面模擬，而眼前生活的整座擬像之城，也可能只是如電玩「模擬城市」那樣，是別人螢幕與搖桿擾動時，不小心創造的平行宇宙。那麼真實人生的一切悲喜轇轕，哀樂際遇，到底又算什麼呢？

同樣地，莊子在〈齊物論〉中也回答了這個問題。〈齊物論〉可能是《莊子》書中最難解複雜、哲學礦脈蘊藏量最爆炸的一篇，光是標題就有「齊物之論」與「齊諸物論」兩種斷句法，若宇宙萬物都是微塵的碰撞瞬間，那麼夭折的嬰孩與八百歲的彭祖，只是恆河沙數時間流的一剎那，這就是所謂「天地一指，萬物一馬」。像王菲〈百年孤寂〉的歌詞：「悲哀是真的淚是假的本來沒因果／一百年後沒有你也沒有我」，這樣的真假與傷感，最適合以夢作為寓言：

> 予惡乎知夫死者不悔其始之蘄生乎！夢飲酒者，旦而哭泣；夢哭泣者，旦而田獵。方其夢也，不知其夢也。夢之中又占其夢焉，覺而後知其夢也。且有大覺而後知此其大夢也，而愚者自以為覺，竊竊然知之。（《莊子．齊物論》）

一個夜夢飲酒之人，白天因悵然而啜泣；而夢到悲傷哭泣的人，白天因畋獵而感到快樂。更何況在夢中的第二層夢境，去占卜那個夢中夢的情節。這些因夢而來的悲喜，一如真實人生，於是乎我們有了「醉生夢死」這句耽溺而幻美的成語。

若讀至此段落，其實很容易讓我們聯想到克里斯多福・諾蘭（Christopher Nolan）

＊伊藤潤二（一九六三—）：日本著名恐怖漫畫家。代表作品為《富江》、《漩渦》等系列，以大量的獵奇、鄉土故事為基底，畫風充滿各種詭異的元素與奇想，更喜歡以大量汁漿、液體以表現恐怖氣氛，足具感染力與思想深度。

執導，李奧納多皮卡丘、不，我是說狄卡皮歐主演的電影《全面啟動》，在那個深入夢境第三層以至於第四層的混沌世界，我們的生死、歡快、貪歡與悲傷，再也不具有任何意義，只能隨著《盜夢偵探》般的竊夢幹員層層深入，進入夢境更底層的夢境。

所以我們理當可以鼓盆而歌，可以朝生暮死，可以達到真正的物化，物我合一進而坐忘，這才發現物我分界或所謂的主體意志原本就虛無縹緲，趨近於不存在。世界原來真的就像是創世神梵天（Brahmā）的一場大夢，學測作文裡同學喜歡耆言夢想與實踐的辯證，躺在床上繼續做夢，起床足以圓夢，但曾幾何時我們都忘了——一切清醒之於夢境都不存在於真實，一切看似真實的都不過是夢境的倒影。莊子的反格言提醒了我們，想起我們還是一隻蝴蝶的那時候，想起翅膀還輕盈還染著彩粉的那時候。

所謂的我們與世界，只存在於一隻蝴蝶的夢中。

《莊子》

道家經典，是戰國中期莊子及其後學所著，記載了莊子的哲學、藝術、美學、思想與人生觀、政治觀等等。分為內篇、外篇與雜篇，又稱《南華經》，內篇被認為最接近莊學本體思想，稱為「內七篇」，今本所見《莊子》則為三十三篇，七萬餘言，應是郭象作注時所編定。

8 古代龍騎士參見

——宋玉〈登徒子好色賦〉

說起來辭賦一直是古典文學裡很重要的文類，雖然這體類可以上溯到《詩經》，但更多時候賦其實是拿來當成遊戲的題材，像射燈謎或繞口令那一類。且漢代之後賦的寫作者即便有限，但它很容易與當時流行的文類結合，因此六朝駢文風行時有了駢賦，唐朝格律詩流行就有了律賦，宋朝古文復興於是有了散賦……有沒有一種明天早自習國文要小考的港覺？

說起中學時代，印象中我的少男時代之國文課本，是選過幾篇古文八大家的賦，像〈赤壁賦〉、〈秋聲賦〉那一類。但我向來對八大家那種文謅謅的，奢言宇宙人間萬化冥合的文章有些意見，比起八大家還比較想要收服寶可夢裡的巴大蝴，所以說那些賦之大旨，現在都忘得差不多了。

由於辭賦的「賦」本來是鋪排的意思，它在先秦被視為《詩經》寫作的其中一種技巧，楚辭與賦的關係更密切一點，但真正要到宋玉，才算得上第一個認真寫作辭賦，並以賦來取悅君王（聽起來怪怪的，還有諷諫啦）的專業賦家。

由於先秦古籍散佚嚴重，有幾篇掛名宋玉的賦，都被考據認為是魏晉所偽造的，比較確定出於宋玉之手的大概是〈風賦〉、〈高唐賦〉、〈神女賦〉和本次介紹的〈登徒子好色賦〉。我們現在常用「登徒子」一詞來指稱淫魔變態色狼，當然日文的「癡漢」更傳神精準，若說慾望是一種貪嗔癡妄，那麼淫邪之心當然是一種過度執迷。

但登徒子當真好色嗎？這事件得從登徒子與宋玉同事間的爆料中傷說起。登徒子先找楚王告御狀，說宋玉「體貌嫺麗，口多微辭，又性好色，願王勿與出入後宮」，若稍有不慎宋玉大大跑去楚王後宮開後宮，那楚王綠綠的還得了。接著宋玉對他所受的三點抹黑，昭昭大動作開澄清記者會，說「體貌嫺麗，所受於天也；口多微辭，所學於師也。至於好色，臣無有也」，翻譯就是說人帥是天生的、祖師爺賞飯吃，有才是從小功課好棒棒嗟、考試都考一百分，至於好色則洩洩指教。

楚王接著問宋玉，要怎麼證明自己不好色呢？於是乎宋玉唬爛了一段如今讀來仍

然覺得非常白爛的嘴砲文：

天下之佳人，莫若楚國；楚國之麗者，莫若臣里；臣里之美者，莫若臣東家之子。東家之子，增之一分則太長，減之一分則太短；著粉則太白，施朱則太赤。眉如翠羽，肌如白雪，腰如束素，齒如含貝，嫣然一笑，惑陽城，迷下蔡。然此女登牆窺臣三年，至今未許也。

這段前半部實在很像天橋底下說書的口吻，簡單來說就是有一枚天下無雙宇宙超級正妹，人稱「東家之子」（我們現在說的「鄰家女孩」就是典出於此）。她身材穠纖合度，脂粉不施素顏就已無敵，回眸嫣然一笑足以拔城毀國，整個三重新莊板橋都一瞬間淪陷那種正度。而這種表特百推的神正美女，就這麼站在兩家的牆垣、以逆癡漢的形式刷存在感，偷窺了宋玉三年，宋玉大大竟然沒報警，而且連看都沒看過她一眼。

這個故事雖然有點伊藤潤二風，但我們姑且先當真好了，只是它還有個對照組，就是那個衰小的登徒子了。宋玉接著嗆說：

> 登徒子則不然。其妻蓬頭攣耳，齞唇歷齒，旁行踽僂，又疥且痔。登徒子悅之，使有五子。王孰察之，誰為好色者矣。

話說楚王是問宋玉他本人好不好色，他去扯人家老婆美醜，這基本上已經歧視了，要在當前，大概就像某臉書名人在高鐵上亂拍人家大腿照這般，還不給覺醒青年譙到翻過去？更驚人的還是宋玉對登徒子他老婆的觀察超細膩，說人家某什麼蓬頭垢面，兔唇暴牙，走路外八，連人家老婆有疥瘡和痔瘡宋玉竟然都知道……該說登徒子雖然老婆很龍，還是說他也已經是綠綠的了……總之宋玉辯證出的結論即是——正妹我不要，龍妹他不挑；我人帥真好，他人醜吃草。

但先不要談說龍騎士是一個多麼壯烈、有愛心、累積好運的積積陰陰、我是說積陰德的行為好了，「好色」本身就是一尚待辯證的課題。是球來就打龍來就騎的登徒子比較好色？還是一開始就對色之美惡有其先驗價值判斷的宋玉比較好色？

不過撇開這樣的好色與美醜，因為此賦之詼諧戲謔與流傳甚廣，「登徒子」三字從此就成了好色變態的代稱，這實在很冤。但若從學術角度來論，登徒子這個人物虛

構的成份很高，看過《羋月傳》就知道，襄王當時任用宋玉、景差、唐勒為其言語侍從，主要工作就是謳詩獻賦，娛樂君主。這篇〈登徒子好色賦〉用語甚淺顯，敘述意象也頗有趣味，很有可能是宋玉即席創作用來表演的段子，類似相聲或落語那樣的舞台小劇場。

到了賦的最後一段，第三個角色章華大夫登場了，藉由章華大夫的詮釋，論述了發乎情止乎禮的情慾宣洩，看得出來這一大篇搞笑白爛的賦，最後的主旨在於勸諫楚王克己復禮、戒之在色。

而這也就是辭賦特有的諷諫功能。近幾年覺醒青年對國文課本教忠教孝、動輒講什麼文章大旨頗有忿怒，也確實，古文講體旨講題解，那是因為這些文章很大成份都有政治功能，望能規諫君王。事實上大多數君王一如我們是平凡人，與其讀聖賢書不如打電動玩手遊，所以作家設計了更多吸睛搶流量的橋段，「賦」這個文體就是其中最具現代感的一種。

9 原來這就是翻雲覆雨

——宋玉〈神女賦〉

上篇介紹了古典時期第一個專業辭賦家宋玉，還有他那篇看似搞笑惡戲、實則諄諄諷諫的〈登徒子好色賦〉，到底宋玉和登徒子誰比較好色，這可能得去問八卦版。然較之此篇，宋玉另外兩篇連作〈高唐賦〉與〈神女賦〉，才真正為其代表作，爾後由此延伸出許多成語，包括「言小」（言情小說）最喜歡講的「巫山雲雨」典故，即是由這兩篇賦申衍而出。

古早認為高唐、神女二賦乃同一篇作品，但我的指導老師從聲韻學考察，發現此二篇賦作於不同時期，但它們確實有密切關聯。故事一開始楚襄王與他的言語侍從宋玉到了荊州的高唐，忽見雲氣千變萬化，襄王以為是自己集滿七顆龍珠許願成真了，還是女神跑出來要送他金斧頭、銀斧頭，於是忙不迭請教宋玉。宋玉和襄王說了一個

淒美又異色的愛情故事：

（宋）玉曰：「昔者先王嘗遊高唐，怠而晝寢，夢見一婦人，曰：『妾巫山之女也，為高唐之客。聞君遊高唐，願薦枕席。』王因幸之。去而辭曰：『妾在巫山之陽，高丘之阻，旦為朝雲，暮為行雨。朝朝暮暮，陽臺之下。』旦朝視之如言。故為立廟，號曰『朝雲』。」（〈高唐賦〉）

這裡的「先王」說的是襄王他老爸楚懷王，也就是一直跟屈原被認為有BL情結的那位。宋玉說早先拎北*楚懷王同樣到了高唐遊覽，白天睡著了，夢見一美眉，這位水水自稱是巫山女神，「願薦枕席」。這句話講得實在超微婉，照字面翻譯就是送個枕頭給你試躺看看，拜託又不是去逛大賣場。更白話說，神女意思就是要約ㄆ（消音）的概念。在那個還沒有約ㄆ神器的年代，說話終究迂迴些。

就在這繁華夢境裡，兩人一夜貪歡，神女臨別時告訴懷王，「若日後還想見我，我就在巫山之南、峻嶺險阻。晨曦照耀時化身為朝雲，夜幕低垂前變化成微雨，朝朝暮暮、恆常相伴」，爾後懷王果然時常思念朝雲暮雨的女神，替她立廟取了個「朝雲」的甜膩暱稱。可想像這段戀情之纏綿淒美，但何以懷王將自己上網約ㄆ的事告訴宋玉，宋玉又告訴懷王親兒子，導致襄王後來也想約約看，這就不可考了。總之從上述原文，我們有了「雲雨巫山」、「共赴巫山」、「翻雲覆雨」等激情又晦澀的成語。

介紹到此暫且打住，我想起另一樁新聞，之前某校爆發的性侵與後續限制言論與捍衛名聲等等詭譎發展，有一個聽來文謅謅的術語反覆被提到，叫「情慾流動」，這個術語典出精神分析，我上次讀一篇論文，就將「情慾流動」這術語用來談宋玉的這兩篇賦。

說起來楚懷王與宋玉分享這次旖旎的雲雨經驗，這大概是第一輪情慾分享與流動，接著宋玉再如上述將事講給了襄王聽，這又是第二輪流動。襄王一聽老爸有此豔遇，又還是做夢夢到的不怕仙人跳，免錢又不貴，於是也春心蕩漾，躍躍欲試，這成了寫作〈神女賦〉的契機：

＊拎北：台語「你爸」的音譯。

楚襄王與宋玉遊於雲夢之浦，使玉賦高唐之事。其夜王寢，果夢與神女遇，其狀甚麗。王異之，明日以白玉。

玉曰：「其夢若何？」

王曰：「晡夕之後，精神怳忽，若有所喜。紛紛擾擾，未知何意。目色髣彿，作若有記。見一婦人，狀甚奇異。寐而夢之，寤不自識。罔兮不樂，悵然失志。於是撫心定氣，復見所夢。」

王曰：「狀何如也？」

玉曰：「茂矣美矣！諸好備矣！盛矣麗矣！難測究矣！上古既無，世所未見。瑰姿瑋態，不可勝贊……（〈神女賦〉）

這一大段對話料想各位讀者可能懶得細讀，我直接幫大家重點整理，因為聽到老爸豔遇有點太High，又讀了〈高唐賦〉，楚襄王當晚也夢到了神女。隔天他興搞搞*告訴宋玉。宋玉問他這夢怎麼樣，楚王說了一會兒後接著問宋玉，請他更細膩地將神女形容一下。阿咧，各位看到這裡可能會覺得有點怪怪的，一開始襄王夢到，爽也是襄王在爽，要宋玉怎麼形容。就好像你上了西斯版，跟大家誇耀說自己昨晚和ㄆ友酣戰數十回，請鄉民幫你寫一篇實錄……怎麼看都不對啊。

這個命題在文獻學稱之為「王玉互訛」，一看就知道「王」和「玉」兩字只差了一個點，而依據古文記載對話的模式，又往往省略「襄王」、「宋玉」，於是乎這兩人就被搞混了。我們現在看到的是《昭明文選》的版本，若上述版本正確，就真的是楚襄王爽一發後，讓宋玉幫自己詠歌一下昨晚神女的形狀。畢竟宋玉是他的言語侍從，有點像現在藝人或富商出版自傳或寫真書，找寫手來代筆那樣。但另一種說法是說前面的「王」與「玉」就應該對調，是宋玉夢到神女，而襄王跪求大大分享影片檔。這說法也不是沒理，但人家大王想夢好久都沒得，被宋玉夢走了，這還不算欺君罔上之滔滔罪愆？

於是乎更進一步解釋，就是所謂的情慾流動與共享，大他者小他者的慾望指向，實際上怎麼操作各位可能得自己看論文，我猜就像《火影忍者》的輪迴眼那種感覺。

---

*興搞搞：興奮貌。

總之接下來描寫神女之容貌型態，以及發乎情止乎禮的撩妹行為、不，我說以禮相待的行為，就是〈神女賦〉的大要。各位可能會想說這兩篇賦怎麼看都是在講楚王父子一夜情的故事，是哪有什麼諷諫之意咧？但其實宋明理學後才講假掰的去人慾。先秦兩漢思想講的是陰陽共構的氣化宇宙論，對情慾也是主張洩導而非禁抑。如〈神女賦〉這樣的題材，被認為是「始邪末正」，同樣是藉著情慾迷酚的敘事，進而導向一正能量、戒除淫褻的結局。

也正因〈神女賦〉創造出這樣美好多情的雲雨意象，進入了古典抒情傳統，如元稹那句著名的詩「曾經滄海難為水，除卻巫山不是雲」。從此我們有了何其豔異的意象，寄託關於性和慾望的華麗隱喻。

宋玉（約西元前二九八—二二二年）

戰國時期的楚國文人，善為辭賦，為屈原之後學。其作品在楚辭與漢賦之間起著承前啟後的作用，後人將之與屈原並稱「屈宋」。流傳作品有〈九辨〉、〈風賦〉、〈高唐賦〉、〈神女賦〉、〈登徒子好色賦〉等。

10 古代最狂行車紀錄器

——漢樂府〈相逢行〉

歡迎收看本週的狂新聞，最近由鄉民自製的卡提諾狂新聞爆紅，批踢踢的那些推文哏、酸民哏和鬧版哏，一夜間通俗成了雅正登堂入室。其實學者夸談台灣新聞的質量低弱，淺碟化與弱智化早已積重難返，小時候看新聞是增廣見聞，現在看新聞成了餘興節目，於是乎哪裡的8＋9嗆堵幹架，哪裡的屁孩球棒砸車，還有那隨手上傳隨選隨看的行車紀錄器，差不多就是一日新聞的精華總集。

不過說起最狂行車紀錄器，我覺得現代人嗆聲什麼「來來來哩來」、「你是混哪裡的」或「我法律系讀八年」，和古代最狂的行車糾紛比起來，實在有點不夠看。首先是漢代流傳的這首，不確切作者為誰的〈相逢行〉：

相逢狹路間，道隘不容車。不知何年少，夾轂問君家。君家誠易知，易知復難忘。黃金為君門，白玉為君堂。堂上置樽酒，作使邯鄲倡。中庭生桂樹，華鐙何煌煌。兄弟兩三人，中子為侍郎。五日一來歸，道上自生光。黃金絡馬頭，觀者盈道傍。入門時左顧，但見雙鴛鴦。鴛鴦七十二，羅列自成行。音聲何噰噰，鶴鳴東西廂。大婦織綺羅，中婦織流黃。小婦無所為，挾瑟上高堂。丈人且安坐，調絲方未央。

「相逢」這詞聽起來朦朧唯美，有種邂逅的感覺，但其實〈相逢行〉講的就是兩個紈褲子弟的屁孩會車糾紛，狹路相逢的故事。要是在現代就是球棒在手、＋9在吼，倚天寶劍，天下我有。誰拿了神武誰就獨孤求勝一統江湖，但由此詩可見古代屁孩嗆堵的時候，誰家的階級高，誰家的出生好，另一方就只得先退回去穩農場拚後期。

這首詩其實滿白話，但稍微翻譯一下就是在長安有兩台馬車——大七和阿帝斯*，

*大七和阿帝斯：大七即BMW，阿帝斯即豐田ALTIS。

開到了沒法會車的狹路，黑羊白羊過橋，不確定是誰要先退，車軸都已經擦撞到了，兩屁孩於是下車來嗆聲。

所謂社會在走馬車輪轂要有，阿帝斯先嗆說「你是哪裡的？」年輕人就是年輕人，沉不住氣的先挑釁。大七下車告訴阿帝斯，來啊來啊，我家不說不知道，一說怕你嚇一跳。黃金為門，白玉作堂，每天家裡請來小模唱歌跳舞，庭中桂樹扶疏，屋內燈火通明。這些只是物質建設而已，更狂的還在後面，扣掉「你們家有養牛耶」等等描寫動物的片段，我家「兄弟兩三人，中子為侍郎。五日一來歸，道上自生光」，要是穿越到現代就是我爸當過立委，我哥也是立委，大甲冬瓜標打聽一下，海線消波塊聽過沒有？沒有很可以，但真的惹不起，要我是阿帝斯屁孩我現在已經塊陶*回老家洗洗睡了。

但重點還沒完喔，說明完兄弟的官職成就，介紹完家裡的動物種類，還提到自己幾個嫂子——「大婦織綺羅，中婦織流黃。小婦無所為，挾瑟上高堂。」大嫂善織綺，二嫂善織絹，嗆聲嗆到拿自家嫂子出來炫是什麼概念？事實上以漢代家庭工廠式的經濟體規模來看，厝內女眷所擅長的織機技藝，象徵的同樣是全家族的經濟與文化資本，那麼這段形容也就有了弦外之意。到了南朝的宮體作家，特愛這種三個嫂嫂如金絲雀般被豢養在豪宅裡的放置Play題材（我在說什麼），續衍出許多如〈三婦豔〉或〈中婦織流黃〉這樣的舊題新作。

其實〈相逢行〉的這個故事到底是不是真實發生在漢代長安天龍國的行車糾紛，可能也未必，從這首樂府最末兩句「丈人且安坐，調絲方未央」，可以看出這首詩有舞台表演痕跡，或許有點像話本的「得勝頭迴」，意即以這首樂府的演唱逗樂觀眾，並作為表演之開場，其後還有更多的彩蛋請大家不要提早離場。我實在在想如今我們的新聞台插放了那麼多行車紀錄器的片段，這恐怕是一種文化基因。

讀完〈相逢行〉各位可能會有一個懸念，到底婦女的紡織技術，在漢代到底是個有多重要的長才，若再來看另一首被慘譙是沙豬的樂府〈上山採蘼蕪〉，應該會更明確：

＊塊陶：「快逃」的諧音，為鄉民愛用推文之一。

上山采蘼蕪，下山逢故夫。長跪問故夫：新人復何如？新人雖言好，未若故人姝。顏色類相似，手爪不相如。新人從門入，故人從閤去。新人工織縑，故人工織素。織縑日一匹，織素五丈餘。將縑來比素，新人不如故。

這詩的主角是一個棄婦，以更好聯想的角色帶入就是前妻或前女友。前男友女友狹路相逢行，女問男「你現任怎麼樣？」這個問題本身就有多層次，可能是那種舊情依戀想約想復合的問法，也可能是那種「看你過得不好我就放心了」那種滿是嫉妒壞心眼的問法。沒想到腦公超誠實回答：「新人雖言好，未若故人姝。顏色類相似，手爪不相如。」就像《壹週刊》的女星評比，新舊女友外表差不多，但以織布技術來說新女友比較差一點，差的點在於「新人工織縑，故人工織素」，擅長紡織的類型不同，速度也不一樣，所以純粹拿技術員的輸出來比較的話——「新人不如故」。

哇咧這根本是漢朝版《月薪嬌妻》了，猜猜我新垣結衣若穿越過去能不能領到十九萬日幣。不過若真有這種比法，那我老婆初音不吃飯不花錢豈不是樂勝？但這顯然不僅是物化女性嫌疑而已，完全就是把前後任老婆當工具人在衡量。後來有論者認為「蘼蕪」有治療不孕症功效，故人很可能因無子嗣而被休妻；也有論者認為老公以縑比素只是玩笑話，為了安新人以慰故人。但尊尊禮教歸結到最後，不外乎世俗人情。我總覺得每每讀這些如今看來無厘頭而白目的樂府，看古人們日常生活的片段，就覺得即便橫跨了千年的維度，但我們距離古典時間卻絲毫不以為迢遠。

輯二

魏晉南北朝的酸民們

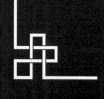

11 古代鄉民戰南北

——《世說新語》中的陸機

先說理性勿戰，批踢踢鄉民動不動就愛「戰南北」，進而由此發展出「台北天龍人」之類的概念，以自嘲嘲人。然而考究起戰南北的歷史，其實比我們想的還要淵遠流長。話說物以類聚，人以群分，凡是鄉民大多愛鄉愛土，以至於因地域之分而有了好惡之別，這也還算是人之常情。

而在古典文獻的記載裡，第一個開始戰南北的人，似乎可以追溯到齊國的宰相晏嬰。就是身長不滿五尺、堪稱半殘，卻言語機鋒的那一位。根據《晏子春秋》，齊王曾派晏嬰出使南方的楚國，這段故事原文是這樣：

> 晏子至，楚王賜晏子酒，酒酣，吏二縛一人詣王。王曰：「縛者曷為者也？」

對曰：「齊人也，坐盜。」王視晏子曰：「齊人固善盜乎？」晏子避席對曰：「嬰聞之，橘生淮南則為橘，生於淮北則為枳，葉徒相似，其實味不同。所以然者何？水土異也。今民生長於齊不盜，入楚則盜，得無楚之水土使民善盜耶？」

楚王一心要給晏嬰打臉，於是左右先替大王安排好，開歡迎趴開到酒酣耳熱之際，綁一個竊賊帶上來。楚王問賊是哪國人，左右答是齊國人。楚王這下神爽了，對晏嬰說：「你們齊國天龍人專門來我們楚國當小偷啊？」晏嬰回楚王的一段話很出名，我們後來有了「橘越淮而為枳」這個成語，典故即出自於此。晏嬰的意思是說——我們齊國天龍人本來好好的，但一到了你們南部就變成了小偷。楚王被嗆到沒話講，大概只能回晏嬰「嗆我嗆夠了沒？」

爾後到了中國第一個大分裂時代魏晉南北朝，南北士族頻繁交流。無論新舊歷史課綱都提醒我們——由於北人體魄強健，南人愛好文藝，因此歷朝歷代的北方帝國國力都比較強勢。這大概也是我們今日對於「強國人」戒慎恐懼的原因。當其時，偏安

於江南的政權，要如何保有其主體性，這顯然不止是當時士人遭遇的課題，也很適合給予我們這一代作為借鑒。

若回顧那個小時代，陸機就是一個足具代表的例子。吳郡陸氏向來為江東的望族，陸機的祖父陸遜曾任東吳的大都督，在夷陵之戰火燒劉備軍就是他出的奇謀；而陸機的父親陸抗當過吳的大司馬，曾領兵與西晉名將羊祜對峙。陸機生在這樣的軍事政治（風水）世家，對北方強國自然是不假辭色。西晉統一後陸機、陸雲兩兄弟入洛，他們與北方士族的齟齬於是更為強烈。《世說新語》有兩段陸機戰南北的事蹟，第一次是與南北飲食差異有關：

陸機詣王武子，武子前置數斛羊酪，指以示陸曰：「卿江東何以敵此？」陸云：「有千里蓴羹，但未下鹽豉耳！」

「羊酪」是北方土產，製作出的成品有點類似奶酪。王武子顯然對他們北方這道歐米亞給*很自豪，問陸機南方有什麼料理可以與之匹敵？這簡直就像上海料理界與黑暗料理界的對面。陸機答得也妙，說就像還沒加進鹽豉的野菜羹。特級廚師小當家和不是特級廚師的二郎都知道，調味料是料理的精髓，陸機的意思好比滷肉飯不淋肉醬，乾麵不加油蔥，將北方料理貶低到了極點。而他的另外一役戰得更慘烈，不過算是北方天龍人盧志挑釁在先：

盧志於眾坐，問陸士衡：「陸遜、陸抗，是君何物？」答曰：「如卿於盧毓、盧珽。」士龍失色。既出戶，謂兄曰：「何至如此，彼容不相知也？」士衡正色曰：「我父祖名播海內，寧有不知？鬼子敢爾！」

盧志的問題翻譯一下就是——「陸遜、陸抗這兩位也姓陸，是你的什麼東西？」這問題當然超沒禮貌，陸機大概是老了啊，吞不下了，回盧志說「就像你們家那兩個老東西。」陸機的弟弟陸雲為人謙恭拘謹，他被老哥一秒變戰神給嚇壞了，出來後和

＊歐米亞給：日文諧音，原指「土產」，爾後引申指伴手禮。

哥哥說「你何必說話那麼嗆？（公道價不是八萬一嗎？）」

陸機這時候講了一個很精準也流傳久遠的髒罵：「鬼子敢爾。」非我族類，其心必異，對陸機來說這些北方士族就是鬼子，毫無禮儀無文明可言，他們是在大聲什麼？

到了二十世紀的對日抗戰所用的「日本鬼子」一詞，自然是從此典故脫胎而來。不過文明自有發展，歷史自有演進，朝代興廢，白雲蒼狗，到底誰是鬼子誰是人子，誰繼承文明道統、誰又是野蠻民族，似乎也未可一概而論。然而自此以降，南北的空間差異注定帶有了意識形態的區別，從古典時期到今日鄉民的批踢踢裡，成了始終無解的戰局。

於是乎我想借用村上春樹那個隱喻，在最後一張黑膠唱片磨光為止，在最後一個天龍人強國人消失為止，南北這個真實卻又形而上的論題，恐怕會一直這麼戰下去。

《世說新語》

由南朝劉義慶和其食客所共同編撰，是魏晉南北朝時期筆記小說的代表作，內容主要記載了東漢到東晉名士的逸聞軼事和玄言清談，全書分上中下三卷，依內容分為「德行」、「政治」、「言語」等等共三十六類。

12 八卦版「我夢到」的始祖

——《文心雕龍》與劉勰的兩個夢

雖然主打自己很鄉民，但即便在中文系裡開設《文心雕龍》的課，仍是有點艱難的事。稍具備語文常識的同學，充其量知道它是「古典時期第一部文論專著」，更混一些的同學則會說「老師，這門課聽起來好威」或「好難」，然後轉而選些輕鬆的學分。

《文心雕龍》全書五十篇，前五章〈原道〉、〈徵聖〉、〈宗經〉、〈正緯〉與〈辨騷〉被稱為「樞紐論」，接下來是「文體論」、「創作論」與「批評論」，架構非常嚴密。但第一堂課我通常從最末篇的〈序志〉上起。劉勰在〈序志〉講述他這本書與前代的其他文論區別，也說明《文心雕龍》的寫作動機，是來自他人生兩個階段的迷離夢境。

八卦版鄉民最愛用「我夢到」當成爆卦的話頭，明明是真的卻推說夢到，這樣真的被告了多少還能卸責。對劉勰而言，他的夢神聖且充滿正能量：

> 予生七齡，乃夢彩云若錦，則攀而采之。齒在逾立，則嘗夜夢執丹漆之禮器，隨仲尼而南行。旦而寤，乃怡然而喜，大哉！聖人之難見哉，乃小子之垂夢歟！（《文心雕龍・序志》）

七歲的劉勰第一個夢，是如超級瑪莉般、尋斑斕如錦緞的彩雲，拾階而上，順風高飛；三十歲的劉勰做了第二個夢，他手持丹紅色禮器，跟隨孔子走到南方。我們如今推測《文心雕龍》成書於齊梁之際（西元五〇一年），當時的南朝已進入偏安政局百年有餘了，因此，所謂的「南行」自然隱含了國家政治與地理空間的轉向。在吾道不行的大時代，南方王朝繼承了文化道統，這南北微妙的國際關係，在我前一篇〈古代鄉民戰南北〉提過，與當前強國和台灣關係，更有古今對照之妙。

當然我們可能會想問，如果他夢到的不是孔子而是波多野結衣，這部文學理論

經典還會不會誕生？事實上，古典時期的夢都是徵兆，有點東野圭吾《預知夢》的味道，周文王曾羆熊入夢，爾後得姜太公輔佐；而《論語》中孔子也說過「久矣，吾不復夢見周公」，表現自己大志未遂，現在戲稱的「夢周公」即典出於此。因此，這第二個夢對青年劉勰來說，非常令他振奮。聖人是如此難見，竟然進入到他一個小屁孩，不，老屁孩的夢中，這直接促成了他撰寫《文心雕龍》的契機。

劉勰少年時期因家貧無婚娶，又追隨僧祐整理佛典，晚年正式出家成為了老衲。這樣的經歷讓《文心雕龍》受到佛教的影響。一方面劉勰用佛經原始表末*的邏輯，梳理文體與風格；另一方面，整理佛經的訓練，也讓他的《文心雕龍》更具備清晰的體系，能夠將不同文體、修辭以及讀者批評等層次分門別類。

此外，劉勰也經常引用老莊與周易的原文，但影響《文心雕龍》最深刻的還是儒家思維。畢竟夢過了孔子就很難忘懷了。是故第一篇〈原道〉中，劉勰以「道沿聖以垂文，聖因文以明道」，將儒家的聖人、大道與文學，組成一個有機而完整的整體。

從思想肌理來說，《文心雕龍》融合儒釋道三教，從文學流變來說，《文心雕龍》又對當時唯美的文風提出歸納與建言。學界將劉勰的理論稱為「儒家折衷派」，相對當時的守舊派和新變派，開出了第三條的批評路徑。六朝是唯美文學的時代，特重聲律、藻飾與典故，但劉勰對於怪異的字體，過度的用典與雕琢的詞藻，都持相對保留的態度。但他又肯定文學的發展與演化，並以儒家的「文質彬彬」，作為評斷文章的標準。

當然，這種折衷而今看來有點像「理性中立選民」，有點像周星馳《九品芝麻官》裡的「尚書大人」，可能淪為一種妥協與兩面討巧，且《文心雕龍》最困難處在於它本身以駢文寫成，有如後設小說，表現創作與評論的相互指涉。即便劉勰有自身的一套完整脈絡，但這門課確實不好修。不過回到〈序志〉的結論，我認為劉勰對文學終究有他敏銳的視野：

> 言不盡意，聖人所難，識在瓶管，何能矩矱。茫茫往代，既沉予聞；眇眇來世，倘塵彼觀。

＊原始表末：即「體察源流」的意思，出自《文心雕龍》。

最後四句的意思是：「正因過去那個漫漶的大時代是如此迷惑著我；因此我也自覺這部著作同樣將干擾著未來的你們、如濛曖的昨日煙塵。」

我認為這可能是一個文學評論者真正的姿態，永遠思考著評論與被評論之間充滿妥協、張力卻又不可解的秘密，並且永恆追尋著那解謎的真理與方法。

《文心雕龍》

中國第一部有系統的文學理論專書，全面地論述了寫作上的各種問題，對應用寫作也多有論評，為南朝的劉勰所著。劉勰因不滿意當時形式主義的創作、感於當時選文漫無準的，故撰成此書，全書共分十卷五十篇，包括了樞紐論、文體論、創作論、批評論四個主要部分。

13 江南腔為什麼那麼娘？

——《顏氏家訓・音辭》

之前有篇引發我島臉友怨毒、學圈震盪的奇文——〈台灣腔為什麼那麼娘〉，該文作者從調頻電台的廣播發展史講到口腔構造、發聲位置的聲韻學，再談到文化混種的語法學，總之結論就是台灣藝人以及民眾操持的台灣腔普通話，聽起來就是比中國各省還來得娘。

這種強國宏觀格局下的性別二元對立，將「大國／島國」以「陽剛／陰柔」一代換之，其實與近來學者對魏晉南北朝的南北文化觀察不謀而合。本來以為台灣愛國志士熱血青壯，人才濟濟、所能者眾，很快就能鵠盼來一篇打臉優文，沒想到枯等老半天，聲韻語音學專家遲遲沒來發文，套句電影《葉問》裡的台詞：難道佛山沒一個能打的？勉強讀到一兩篇戲謔搞笑不甚到位的臉書文，這議題也就舟過無痕了。

其實娘不娘與否這樣的性別操演與扮裝，全憑主觀感受，且充滿弔詭性。強國崇尚「土豪」、「爺們」那種霸氣外露，故作雄壯威武野很正常，而更重要的課題應該在於——是否真的有所謂的「台灣腔」？以及這陰柔陽剛、很man很娘的語音符號學背後，到底代表怎樣的文化隱喻與國族寓言？

還有就是——這與南朝入北齊的作家顏之推所寫給自家厝裡晚輩讀的《顏氏家訓》，又有什麼關聯？

可能要讀過《顏氏家訓》才知道，這書不僅止是教導後輩修身齊家、灑掃庭除的治家格言，除了倫理學意義，顏之推更將自身流寓南北所見的風俗文化、世情觀點皆記載於家訓中，堪稱是保留了南北朝當時士庶文化的重要文獻。

還很巧的是，《顏氏家訓》剛剛好談到過南北地域導致的語音差別。而這強盛北國與偏安江南的腔調之別，正表述出其中南北地理與文化之辯：

> 南方水土和柔，其音清舉而切詣，失在浮淺，其辭多鄙俗。北方山川深厚，其音沈濁而鈋鈍，得其質直，其辭多古語。然冠冕君子，南方為優；閭里小人，

北方為愈。易服而與之談，南方士庶，數言可辯；隔垣而聽其語，北方朝野，終日難分。（《顏氏家訓・音辭》）

上述這段翻譯起來複雜，大概顏之推替當時南北語言作了解釋——他談了兩個層面，一是詞彙用語，二是語音聲調。由於風土地貌的差異，南方音輕巧清碎，且用詞俚俗；北方音渾濁沉重，而用語古雅。然而這是庶民的狀況。又因當時江南士大夫多半時興學習北方話，有所謂漢音、楚音的雅俗之別，因此南方士人與庶民只須交談幾句話就足以分辨。

這段看似簡略的觀察，其實有著深刻的背景知識肌理。拿我們熟悉的台灣近代史來對照，台灣經歷兩代外來政權，說殖民也好、說統治也罷，無論日本語或北京話，都輪替搖身成為了「國語」，無論是高壓推動或懷柔實行，要馴化一邦之民，總得風行草偃將其母語重新刮除再複寫。加上什麼樣的語言本來就與階級高低、身分雅俗或潮不潮有關。這無須搬弄理論，各位鄉民不妨一窺（不是虧、不要搞錯了）捷運上與外國男友大聲講英文的ㄈㄈ尺妹，就能知悉大概。

所以我屢屢以中世紀江南北朝的對峙，來想像如今的兩岸關係。也因此台灣腔國語形成了獨特語感、文法、發聲，溫柔款款，在強國的凝視之下被陰性化。

事實上從更鳥瞰的文化二元對立來看，如北方的邊塞詩，江南的採蓮詩，溫柔的南方與雄壯的北方，這是長久以來的文化想像。即便偶像劇或電影喜歡拍強國女孩煞到台灣男生的情節——什麼《回到愛開始的地方》、《對面的女孩殺過來》這一類，但演藝圈裡閃婚下嫁中國大陸富商的女藝人好似還更多些。既然這樣陰柔陽剛的二元對立有其傳統派勢，那麼得出「台灣腔很娘」的論述，似也不足為怪了。

在對發聲器官、語音訛變等知識還沒有通盤理解的時代，顏之推就掌握了語言的大方向，這樣的論述或許略嫌大而化之，但以古鑑今，他談到的南北想像與隱喻卻頗有啟發。這麼樣一個諄諄教誨又博學廣歷的父親，替子姪們留下這般饒富知識性的訓示，這麼多年後依舊如尚燃燒過後餘溫猶存的篝火灰燼，熠熠著微弱火光。

14 古代爸爸叮嚀：要小心公主病啊！

——《顏氏家訓・治家》

上一篇談《顏氏家訓》的文章內，已經提到顏之推寫給家族後輩的這部「家訓」，替我們保留了許多六朝南北士庶的文化與風俗。然而除此之外，顏之推還談到許多治族齊家的細節，更穿插爆料了當時士族官員間的傳聞軼事，有點魏晉南北朝《壹周刊》的味道。

其間我覺得最有趣的大概是顏之推敘述了江南與江北婦人的氣質差異——他說「江東婦女，略無交遊，其婚姻之家，或十數年間，未相識者……鄴下風俗，專以婦持門戶，爭訟曲直，造請逢迎。」相對於南方女生的柔弱甜軟，有的北方婦女甚至敢於代子求官或為夫訴屈。你說這可不是八卦版最盛行的「戰男女」議題嘛？在那個男尊女卑、父權至上的時代，北方女子能有此強悍氣質，何止巾幗不讓鬚眉，根本就是

古典時期受到塑化劑影響的肉食女了。

誠如我前篇所說，二元對立下的陽剛和陰柔，草食與肉食，也不過是一種刻板想像。近來日本網路鄉民更創造出了一個更進階於「草食男」的新詞彙「佛系男」，形容那些對追逐女性毫無興趣，甚至自我閹割以至於毫無性慾，僅存的慾望與戀愛氛圍投射於二次元的動漫之中，為此萌萌燃燒。鄉民經常戲稱或當真的「初音是我老婆」，不正徵驗此道？

不過若認為女生強悍、牝雞司晨終而導致男性軟弱，缺乏積極進取挑戰困境的野心，將當前如死水般的社會經濟逆境歸咎於性別倒錯或什麼環境荷爾蒙，這同樣是刻板印象。至少古典時期早就有女力（Girl Power）的實例。除此以外，《顏氏家訓》所描摹的江南女生，其奢華其假掰，還真的絲毫不輸仇女鄉民經常拿來引戰的天龍國公主：

> 南間貧素，皆事外飾，車乘衣服，必貴整齊；家人妻子，不免飢寒。河北人事，多由內政，綺羅金翠，不可廢闕，羸馬悴奴，僅充而已。河北婦人，織紝

組紃之事，黼黻錦繡羅綺之工，大優於江東也。（《顏氏家訓・治家》）

吉田修一在《惡人》中描寫被殺害的女保險員石橋佳乃，其形象放蕩，拜金虛榮，佳乃即便出入身背名牌包包，卻穿著底部已近乎破爛的靴子。而江南人大概就是同樣的習性——即便家人飢寒困窘，也要金玉雕飾於其外，打腫臉充胖子。除此之外，除了江南天龍國的女生，北方婦人擅長錦繡羅綺等紡織技藝，大勝無一技之能的江南公主病患者。

這麼看來，養尊處優又裝飾外表的江南女生，似乎被《顏氏家訓》打臉得有點嚴重。確實，在那個重男輕女的大時代，顏之推也講過「女之為累，亦以深矣」，認為女子太多難免拖累全家族之繁盛。改句周董的歌詞來說——聽爸爸的話，別讓自己受傷，顏之推此語多少有規勸家族子弟應摒除淫慾，戒之在色的意味。即便他沒能免去男尊女卑的偏見，但《顏氏家訓》對世情人性，仍是深有體貼，如以下這段論前夫前妻遺子：

凡庸之性，後夫多寵前夫之孤，後妻必虐前妻之子；非唯婦人懷嫉妒之情，丈夫有沈惑之僻，亦事勢使之然也。前夫之孤，不敢與我子爭家，提攜鞠養，積習生愛，故寵之；前妻之子，每居己生之上，宦學婚嫁，莫不為防焉，故虐之。（《顏氏家訓・後娶》）

簡單翻譯就是後爸會寵愛前夫之子，後媽會虐待前妻之兒，這不單是因為女生吃醋愛嫉妒而已，男生同樣也會。這是因為前夫之子自知庶出，不敢公然爭家產；而前妻之子自視兄長，自認有正當的繼承權。這不就是《夜市人生》、《世間情》等鄉土劇經常搬出的劇碼？在一千五百年前父親寫給兒子的家訓中，能對人情世理做出這般細膩而通達物理的透析，已屬難得了。

顏之推曾於南北兩朝飄零，見證了南北風俗，經歷了家國喪亂，他對於家族弟子言行舉措，優劣良窳，恐怕有著更深層的憂患與感傷。這一篇篇絮絮叨叨的格言與訓辭，原本也不是要給外人讀的，所以可能流於巧亂細碎，但就像駱以軍《遠方》寫過，一個專屬於父親的——如負傷雄獸卻仍要孜孜守護著整個家族那樣強悍與決絕的形象。這可能才是一個父親最原初的姿態。

《顏氏家訓》

作者為北齊的顏之推，是記述個人經歷、思想、學識以告誡子孫的著作，全書七卷二十篇。顏之推身歷南北朝動盪，對南北文化皆有深刻認識與體會，其書對於魏晉南北朝時的南北文化風俗，有著重要的保存意義。

15 煙花易冷有點冷

——方文山與《洛陽伽藍記》

網路流傳一個說法，說方文山為周杰倫寫的〈煙花易冷〉這首歌，化用了楊衒之《洛陽伽藍記》裡的故事——有一貴族將領與他戀慕之女子私定終生，然而洛陽遭逢戰亂，女子被發落為尼，最終才在她出家的伽藍寺與將領重逢，世情轇葛，情路波折，真堪是物是人非事事休，縱使相逢應不識了。

這個說法就像哪裡的孤兒院或安養中心缺物資之類的都市傳說，實在真偽難辨。不過我雖然不以當酸民為榮，但還是忍不住要吐槽一下。若〈煙花易冷〉這首歌真的典出於楊衒之的《洛陽伽藍記》，那麼上述至少有兩項錯誤。

首先「伽藍」（samghārama）是梵文，原意指眾僧居所，也就是寺院之意，所以楊這本書之所以名《洛陽伽藍記》，旨在記錄下洛陽城內著名的名剎古寺，因此不會有「伽藍寺」這種寺名；其次是楊衒之這本書就如前述，既在記錄洛陽大小寺院，因此基本上就像是探索頻道，以紀錄片形式呈現，敘述何寺位於洛陽何處、幅員多廣、浮圖幾層或建築幾何，其間壓根也沒有提到什麼愛情故事。

不過說起來，這典故也不是全然與原書無關。確實楊衒之在經歷東西魏戰亂後，再次回到洛陽，眼見周遭斷垣殘壁的殘破景象，興起了寫作這本書的念頭。他在序中提到洛陽當時的富豪——不妨想像今日勝文、郭董或小S老公者流——泰半篤信佛教，因此他們虛擲千金，大興土木造佛寺、修寶塔，這會不會讓鄉民想起之前的慈濟園區爭議啊？

> 王侯貴臣，棄象馬如脫屣；庶士豪家，捨資財若遺跡。於是招提櫛比，寶塔駢羅，爭寫天上之姿，競摹山中之影；金剎與靈臺比高，講殿共阿房等壯。

然而世事無常，就算建了如周文王的靈臺或秦始皇阿房宮那樣媲美帝寶、鄉林皇居的浮圖寶塔，這些富麗堂皇的佛寺，終究還是給強制都更了。在那個與當前差不多

微型與動盪的小時代，大概很難像大埔抗爭一樣，有社運團體和苗栗小五郎跳出來說「縣長，是你」。永熙三年（五三四年），北魏分裂成東西魏，而皇都亦從洛陽遷往鄴城，事隔十餘年，楊衒之再次來到洛陽，所見的景象已殘破不堪：

暨永熙多難，皇輿遷鄴，諸寺僧尼，亦與時徙。至武定五年，歲在丁卯，余因行役，重覽洛陽。城郭崩毀，宮室傾覆，寺觀灰燼，廟塔丘墟。牆被蒿艾，巷羅荊棘，野獸穴於荒階，山鳥巢於庭樹。……京城表裏，凡有一千餘寺，今日寥廓，鐘聲罕聞。恐後世無傳，故撰斯記。（《洛陽伽藍記》）

這段雖然不算非常白話，但大抵也看得出來其間的悲劇。過去所有的人造建築如階梯、庭院，如今都成了鳥獸的巢穴。千餘伽藍毀於一燼。或許歷史也在提醒我們——無論什麼樣堅固華麗的園區，終究抵擋不了天災人禍的侵蝕。

因此，雖然其中可能有誤讀與誇飾的成份，但我不否認方文山某種程度掌握了《洛陽伽藍記》一書的創作初衷。在那個戰亂頻仍、硝煙四起的亂世，煙花確實易散也易冷，任何的信仰、等候或承諾，都變得恍惚而不真切。因此即便前半場當了PH值好低的酸民，但我還是想回頭稱讚一下，〈煙花易冷〉歌詞中美好與雋永的意象：

浮屠塔斷了幾層／斷了誰的魂
痛直奔一盞殘燈／傾塌的山門
千年後累世情深／還有誰在等
而青史豈能不真／魏書洛陽城

當南朝作家還在醉生夢死寫他們的宮體詩時，洛陽已戰火蔓衍，幾經易代，辯證歷史真或不真，這當然有點爭議，就如我們對新舊歷史課綱的異見。歷史可能像螢光筆，劃過線與沒劃線的，隱蔽與強調的。所謂的重不重要，正確或稍微偏差，往往只在一轉眼之間。

〈煙花易冷〉這首歌原唱是周董，但真正讓它大紅起來，印象中是參加「我是歌

手」節目的林志炫，就在林志炫高亢空靈的轉音之中，我們似乎也還能遙想當年那座處處是菩薩金身、浮圖寶塔的洛陽城。唐代的佛寺建築基本上延續北朝而來，而日本大化革新又橫向移植了此工法。現在我們迷戀京都，競相參觀清水寺的六層炬木舞台或比叡山的肅穆山門，讀「悠遊京都」、「漫步京都寺廟」之類的著作，似乎也就可以從之緬懷當年的佛國淨土，想像楊衒之筆下的洛陽伽藍。

即便典故經過解讀與變造，但在文本與文本的間隙中，仍能感受到溫熱的餘燼。我想這才是典故真正的意義，在不斷的轉化與創生之中，開創出新的能量。而這也可能就是閱讀、文化創意以及人文素養最核心的卡榫。

《洛陽伽藍記》

簡稱《伽藍記》，為北魏人楊衒之所撰，是一部集歷史、地理、佛教、文學的重要著作，對洛陽城的伽藍（即佛寺）分五卷詳述，寺院的緣起變遷、廟宇的建制規模及與之有關的名人軼事、奇談異聞都有所記載。

16 有沒有好詩都在西斯版的八卦

——南朝宮體詩

之前台北市捷運局幹出了一樁讓AV女優登上悠遊卡封面的世界創舉，引發各界討論。這新聞本身其實也沒什麼，但一旦牽扯到公領域的倫理意義，以及私領域的情慾窺淫，就難免變得比較大條一點。

我自己研究的領域是六朝文學，講到六朝，要不是說那是一個黑暗混亂的時代，就是說那時期的文學情色而墮落。某程度來說這也是事實，因為貴族所主導的文學場域，缺乏娛樂與刺激，於是他們熱衷於細膩而唯美的題材，對這些男作家而言，描寫女性就成了一個刺激又香豔的題材，宮體詩於是誕生。

不過慘的就是後來的古文運動、宋明理學，一群受儒家文化熏陶（荼毒）的士大夫，對這時期的文學大加撻伐。最狠的大概是章學誠，他說宮體詩是「床笫之言，揚

於大庭」，這句話這麼翻譯大家都懂了——請問柯市長，怎麼能把波多野結衣的清新健康慾照就這樣貼在悠遊卡上？

不過說真的，要說宮體詩多色情，那是子虛烏有的事，尤其和波多野姊姊演的那些片子相比，簡直不可以道里計。宮體說起來也不過是一種對女性耽美與戀物，寫她們的身體與姿態，寫妝奩，寫細節，有點像寫真書、像言情故事，更像男生版本的總裁系列，什麼《總裁今晚等你愛》、《總裁逼我嫁》那一類。連現代那種全裸入鏡、露毛遮點的程度都還不到。

說起這種描寫女性的宮體豔情起源，大概可以追溯到樂府詩，到了六朝，士人喜歡依江南在地民謠來鋪寫，想像南方庶民女子高攀貴族的戀愛。這完全是自爽啊，根本就是鄉民嘴砲說「我老婆」或「在五樓床上」這種等級，最著名的就屬〈碧玉歌〉三首：

> 碧玉破瓜時，郎為情顛倒。芙蓉陵霜榮，秋容故尚好。
>
> 碧玉小家女，不敢攀貴德。感郎千金意，慚無傾城色。

碧玉小家女，不敢貴德攀。感郎意氣重，遂得結金蘭。

這組詩在講一名叫碧玉的十六歲平民少女，與貴族情郎間互訴情意，最後修成正果的故事。用詞並不深澀，但要解釋的是「破瓜」一詞，因為「瓜」這個字剖成兩半，就是兩個八字的組合，所以原作十六歲的意思。這個詞當作失去童貞解釋，那要到明代馮夢龍《三言》〈杜十娘怒沉百寶箱〉這故事才開始，所以千萬不要想歪了，再講一次，這是宮體詩不是SOD。

換言之，宮體詩中所謂的色情，和我們現在想像的實在差距甚遠。再舉一首徐陵〈和王舍人送客未還閨中有望〉來說吧，即便這詩題聽起來有些狎邪，腦公去送朋友，老婆在閨房獨守，妝都已經卸了，接下來會花生省魔術*：

倡人歌吹罷，對鏡覽紅顏。拭粉留花稱，除釵作小鬟。綺燈停不滅，高扉掩未

*花生省魔術：「發生什麼事」的諧音。

關。良人在何處，光惟見月還。

答案揭曉，什麼也沒發生。你說鄉親，那寫了幹啥，重點在於徐陵描繪女子卸妝後的無敵素顏，「拭粉留花稱，除釵作小鬟」，想像她抹去粉底露出青春俏臉，除卻髮帶讓秀髮披散開來，隨身用鯊魚夾夾起，那是只有對女體觀察到最細微、最親暱的詩人，才能寫出的美好意象。

我這麼拚了命地幫宮體翻案，也不是要大家沒事讀這些詩，或請國文課本選入課綱。不過說真的，比起什麼荷西入臺，六朝詩才是真真正正被新舊課綱給打壓到不行的體裁。誰的中學國文課學過以上的詩？要說變態一點的宮體詩，當然也不是沒有，梁簡文帝蕭綱有一首最被詬病的〈孌童〉，即為代表：

孌童嬌麗質，踐董復超瑕。羽帳晨香滿，珠簾夕漏賒。翠被含鴛色，雕牀鏤象牙。妙年同小史，姝貌比朝霞。袖裁連壁錦，牋織細橦花。攬袴輕紅出，迴頭雙鬟斜。嬾眼時含笑，玉手乍攀花。懷猜非後釣，密愛似前車。足使燕姬妒，彌令鄭女嗟。

根據維基的解釋，孌童是指美少年，還特別加註是幫男性權貴服務。這服務是指什麼我就不確定了，但在蕭綱筆下的孌童還不只是小鮮肉，他眼神帶笑，玉手攀花的情態，基本上又是一個偽娘了（有點不蘇湖*）。但君不見當前的演藝圈，有薰愛*有鵝叔*，還有什麼深蹲下去撿肥皂的，要說寫詩歌頌美少年，就是什麼情色墮落，那現代人豈不都要下地獄了？

說起來守舊與開放是一相對而變動不居的疆界，其實《禮記》裡早有疏導情慾的論述，只是爾後宋明理學的視角下編出的《四書》，將這一部份給屏蔽了。身為教師我總提醒同學——無論你們爭取到了什麼樣的課綱，也千萬不要照單全收。所謂的道

---

*蘇湖：「舒服」的諧音。

*薰愛：藝人劉薰愛，鄉民常用以隱射變性人。

*鵝叔：藝人利菁的暱稱，亦有鄉民以之隱射指稱變性人。

德，理性或公領域的大是大非，也不過是權力運作過後的結果。即便有一天我們的悠遊卡都服貼貼熨上了無碼*的女優，但始終會有幾首明明很美、卻永遠在課本裡學不到的詩。

宮體詩

「宮體」既指一種描寫宮廷生活的詩體，又指在宮廷所形成的一種詩風，始於簡文帝蕭綱，多是描寫宮廷生活及男女私情，形式上則追求詞藻靡麗，時稱「宮體」。

17 他很笨他是我兒子

——陶淵明及其形象

前陣子讀到一篇神文，旨在批判當前的國文教學，作者從課綱選文譙到知人論世的教學法，認為缺乏深度又不合時宜。文中說陶淵明不像我們今日想像的清高，反而害自己的兒子餓死。我對該文論點未必全都反對，只是沒聽說陶淵明兒子餓死的史料，作者對陶淵明的幾層詰問，也似乎有些想當然爾。

說到陶淵明到底算是清高還是不清高，這多少帶有主觀判斷，但根據史料他確實嗜酒乞食，有些說不上是陰暗面、但與傳說中率性天真不甚相仿的性格。雖然本書還沒搞到和人本合作，縱談親子溝通與教育未來，但陶淵明的育兒方式確實頗值得一

＊無碼：看得到重點部位的A片。

提。最著名也最搞笑的就是他的那首遊戲之作〈責子詩〉，寫他的五個兒子拐瓜劣棗的奇行種怪現狀：

白髮被兩鬢，肌膚不復實。雖有五男兒，總不好紙筆。阿舒已二八，懶惰故無匹。阿宣行志學，而不愛文術。雍端年十三，不識六與七。通子垂九齡，但覓梨與栗。天運苟如此，且進杯中物。

這首詩的遊戲性可以從大量的數字鑲嵌看得出來。南朝有一體類稱之為「數名詩」，當時頗為風行，因此這首詩未必真的在苛責親生兒子，很可能是此類遊戲題材的習作。這首詩遣詞非常白話，陶淵明以乳名介紹自己五個兒子：十六歲的懶惰阿宅阿舒，十有五志於學卻沒在唸書的阿宣，兩個同樣十三歲卻數學被留級N年的雍和端，還有九歲的小兒子只知道找食物。結論是——白洞，白色的腦洞在等著我們，我的老天鵝啊五個兒子都腦洞，還不如飲一杯解千愁。

眾所周知陶淵明愛喝酒，但讀了這首詩似乎也有點瞭他查晡人的辛酸了。他堂堂隱逸詩人宗師，結果兒子耍笨成這樣，看得我也是醉了。不過笨歸笨，就目前所能見史料來看，倒沒有陶淵明諸兒橫死非命的記載。反倒是年代更晚些，同樣經歷朝代迭替的顏之推和庾信，他們的後代在大時代中慘死。庾信的兒子庾立不願投降當時隴西軍閥薛仁杲，寧折不曲的結果就是被活人生吃。對！你沒看錯，這不是在演《屍速列車》：

（薛）仁杲，舉長子也，多力善騎射，軍中號為萬人敵。然所至多殺人，納其妻妾。獲庾信子立，怒其不降，磔於猛火之上，漸割以啗軍士。（《舊唐書》）

其實不是生吃，是以一種燒烤的方式料理。學者感傷地說歷史似乎有一種黑色幽默，南北朝的對立最後得以這種啖其人肉的方式融合一體。我們現在對北方的強國經常有一種野蠻、粗暴而禮教失序的投射或想像，我總覺得這其中有著淵源流長的DNA。

上述只是題外話，在那個時局動盪、朝不保夕的大時代，殺死餓死或被SM搞死

的可能性太多了，似乎也不能全然排除陶淵明兒子有死於非命的可能。但我對神文最有意見的是作者認為國文課始終沒教會的陶淵明核心：

陶淵明身處在什麼樣的時代？他的信念對抗的是什麼？何以願意犧牲常人眼中的基本價值？

陶淵明身處什麼樣的時代，課文前的題解作者多半會有介紹。而說到身處南北朝亂局卻以信念對抗黑暗時代者，就我所知還真的沒幾個。近十幾年學術圈對陶淵明及其詩有了全面的翻案，他確實仍有天真自得的一面，但更多時候顯得世故而謹慎；他確實有親自躬耕的經驗，但並非憑個人之力完成莊稼農事。說起古典時期真正以信念對抗時代而自我犧牲的先行者，大概是商周時的伯夷、叔齊，但陶淵明〈飲酒詩〉其二說「積善云有報，夷叔在西山，善惡苟不應，何事空立言。」即便伯夷、叔齊可能是他嚮往的人格典型，但在善惡無果報的年代，寧折不彎的選擇便顯得無意義了。

至於陶淵明「犧牲常人眼中的基本價值」，那更是流於無稽。陶詩中有一首〈庚戌歲九月中於西田獲早稻〉，近年因為異文*版本而受到研究者重視，這首詩原先版本是這樣：

> 人生歸有道，衣食固其端。孰是都不營，而以求自安。開春理常業，歲功聊可觀。晨出肆微勤，日入負耒還。山中饒霜露，風氣亦先寒。田家豈不苦，弗獲辭此難。四體誠乃疲，庶無異患干。盥濯息簷下，斗酒散襟顏。遙遙沮溺心，千載乃相關。但願常如此，躬耕非所歎。

這詩解釋起來還不算太難，人生在世吃飽穿暖，這是基本需求，於是陶淵明選擇躬耕。先不要說這版本就沒有犧牲基本價值了，它的異文還原是「人生歸有事，衣食固無端」，之前大學生很喜歡說「你有事嗎」，意思是說你有毛病嗎，但「有事」同樣是南北朝常用語，指的就是一種職業的選擇與從事。人生在世資源有限，必定要有

---

*異文：指古書經過長時間的傳抄，部分文字因為形近訛誤，而有了多種版本。

一營生的職業足以存活。這話說得直白，陶淵明之所以選擇歸田園以躬耕，正是因為他更重視常人眼中的基本價值，作為一個勞動者親身向土地討索成果。當然這詩後面還有許多機巧，比方說「晨出肆微勤，日入負耒還」，「耒」的異文還原是「禾」，翻譯是早上出門稍微勞動一下，傍晚就載著稻禾返還（這也較符合詩題所謂的「獲早稻」），難道用了哆啦A夢的神奇餐巾嗎？顯然他的艱辛與真正的田家之疲苦仍有著根本的差異。

只是我總覺得我們當前的國文教育陷進了僵局，國文教材的信仰者對課本不曾質疑，而反教材的覺醒者卻執拗地從反面解釋一切穩定知識。事實上陶淵明就像南北朝的其他士人，不特別清高卻也沒特別放縱，因經濟條件幾度出仕又歸隱。他最後選擇了田園生活，卻不曾真正離開他與仕宦故舊的社交圈。

有學者推論他不願仕劉宋而隱逸，有學者認為他歌詠荊軻是想要刺殺劉裕以報晉，但這同樣都只是想像。陶淵明終究沒當成覺醒青年，沒搞出南北朝版的太陽花運動。我覺得國文課真正匱乏的恐怕是——我們將一個作家想像成只能有一種屬性或意義。漢賊不兩立時期，我們選了誰的某篇文章；大覺醒改革時期，我們又微調課綱選了另外哪篇作品。事實上這些創作者們就如同我們是一個完整的人，身處暴亂的時代、面對無常的人生，有疑慮或憂患，有任性有妥協。我以為給出各種的可能性，應當才是教育最核心的意義。

18 每天累到喝阿比，還能裝網充嗎？
——田園詩人陶淵明

上篇我們介紹了東晉作家、被譽為「千古隱逸詩人之宗」的陶淵明，他雖沒像網路文寫的家暴虐兒致死，但確實有著多重而複雜的性格。

日本網友創了一個詞叫「現充」，意思是「現實生活充實」，舉凡那些花樣校園核心組男女，四界走跳，每天夜衝夜唱，跑趴狂歡，大抵就是現充男女的具象化。步入網路時代，又相對有了個詞叫「網充」，顧名思義，即便真實生活宛如荒漠般孤單又乾涸，卻也得在社交軟體上盡所能展現琳琅美食、旅遊美照之癡幻人生。只有被旁人欽羨妒愛，被按下讚的一刻，自己變成了本來不是的樣子。從這樣的定義來說，陶淵明所吟詠的田居樂事，就有點網充成份。

文學史所呈現的陶淵明，除了擅長詩歌，同時也兼善雜文、祭文與辭賦，但說起他的田園詩，上過中學國文課的我們大概都能默背個幾句，什麼「種豆南山下，草盛豆苗稀」或「採菊東籬下，悠然見南山」。

此外，陶淵明最有名的就是充滿自傳色彩的〈五柳先生傳〉，文章掰了些「閑靜少言，不慕榮利」、「性嗜酒，家貧不能常得」的關鍵詞，加上他那椿著名卻早被學術圈質疑的「不為五斗米折腰」軼事，我們心目中與想像裡的陶淵明，就成為了一個率性任真、脫俗豪放，自由不羈的詩人形象。眾所周知在低薪少假的鬼島，養成許多罔顧勞工權益的慣老闆，但縱觀大歷史，真正敢拍桌嗆聲說「老子不幹了」的逆襲魯蛇，還真的少之又少。於是乎不為五斗米折腰的陶淵明，掛冠解纓，歸隱田園的率性抉擇，成了爾後世世代代魯蛇嚮往的對象。

但就現存可信之文獻來說，我們只能判斷陶淵明確實有過田園生活，也確實好讀書博讀書，尤其喜歡《山海經》這類志怪故事，所以有了〈桃花源記〉這種架空幻夢的仙境傳說Online。

在田曉菲《塵几錄》認為，陶淵明這些豁達率性的形象，其實跟古典時期詩歌的手抄本文化有關，簡單來說在沒有複製技術的年代，用手抄難免字太亂太醜而難以辨

識，這時候讀者就會用自己亂掰，改成自以為對的字填進去。就像肥宅被學妹回Line說去洗澡，就覺得對方對自己有意思一樣。

我們姑且拋開那些國文課本題解作者裡講的，那些自然豁達、田園農家樂事的敘述，現實世界的勞動可是勞筋傷骨，氣力放盡才得以完成的事業。尤其在那樣一個尚無機械工業的前近代，無論開荒屯墾都必須耗費大量勞動力。案牘勞形之餘我們可能一時羨慕起打零工生活，但人家累到要喝阿比了，還能否裝得很愜意悠哉呢？

我無意詆毀歷代隱逸詩人宗師的地位與美學，也不是說陶詩每一首都在唬爛，但很多面向來說，陶淵明以網充邏輯將田園農事作了些美化了，像打卡傳照到IG（Instagram）的農村體驗營紀實。若再加上那些手抄本改動過的異文，恬淡的山居樂事、農家勝景，就都顯得有點怪怪的，看破手腳：

少無適俗韻，性本愛丘山。誤落塵網中，一去三十年。羈鳥戀舊林，池魚思故淵。開荒南野際，守拙歸園田。方宅十餘畝，草屋八九間；榆柳蔭後檐，桃李羅堂前。曖曖遠人村，依依墟里煙；狗吠深巷中，雞鳴桑樹巔。戶庭無塵雜，

虛室有餘閒。久在樊籠裏，復／安得返自然。（〈歸園田居〉之一）

〈歸園田居〉這組詩共五首，我們中學讀過的「草盛豆苗稀」是第三首。第一首非常著名，大抵也很白話，說他本性愛自然，只是在滾滾塵世消磨三十年，終於可以返鄉，在遠離人村之處經營自己的莊園。但最末句的另一版本是「久在樊籠裏，安得返自然？」若這個版本才對，表現出老陶對自己是否能真正適應田園生活，充滿了疑慮與不安。

這組詩的第二首同樣因異文而有了全然迥異的意思：

野外罕人事，窮巷寡輪鞅；白日掩荊扉，虛室絕塵想。時復墟曲中，披草共來往；相見無雜言，但道桑麻長。桑麻日已長，我土／志日已廣，常恐霜霰至，零落同草莽。（〈歸園田居〉之二）

這首詩意思也不難懂，說自己回到窮鄉僻壤，也不用跟人家Social了，平常莊稼

漢會面沒別的話說，只問對方桑麻長得如何。但若是按照被改動前的版本「我志日已廣」，意思就是說作者的願望太多無以完成，又擔心霜霰與野草的反噬。陶淵明經常描寫雜草，什麼晨興理荒廢或道狹草木長。那是現實世界最原始的樣貌，也是最真實的勞動者才感受到的荒蕪與頹業，一切勞作與開墾稍有不甚就功虧一簣，回到原點。

農事勞作的疲累與重複，猶如推石頭上山的薛西佛斯，詩人以迂迴微婉的方式呈顯出來，那是炫耀田園樂活生活外的硬幣另外一面，必須留心才得以發現。而另一方面，由於此後陶淵明代表的是歷代魯蛇們的大確幸，於是他只能是一個豁達自然的人，他的詩只能是渾然天成，不能有多餘的雕飾與造作，他不能懷疑田園的快樂，也不能還有多餘的志向或慾望。

這樣的改動與建構聽起來有點變態，但這就是文學流變，就是典律生成，作家有時候必須被讀成他本來不是的樣子，才得以成就其偉大。但我有時會想像那個真實的陶淵明，習慣當上班族，種田累得半死卻還要唬爛自己好棒棒的陶淵明，對於田園生活，對於真實的自然雖然期待，卻又充滿疑慮與恐慌的陶淵明。那可能才是一個真正的詩人，疲憊，焦慮，嚮往自然卻又充滿不安。這可能才是一個與你我身處共通的真實世界。

19 正妹邀回家，別忘了免錢的最貴

——陶淵明〈桃花源記〉與〈劉晨阮肇〉

上一篇介紹了一怒拍桌辭頭路、回家種田吃自己、卻不忘時時打卡炫耀田園之樂好棒棒的陶淵明，還有他那些歸隱田園樂活詩。然而在那個一切仰賴人力拓荒的年代，出生士族的詩人在未能有足夠體能鍛鍊的前提下，確實很難應付農事。其實我並無意指摘陶淵明的文學成就出於假掰造作，即便當代漢學家的新論述也未必拳拳可證。但陶淵明的形象，確實在後代得到了太多美化，而這樣的偶像化實在出於文人太嚮往一方隱逸、逃脫的小幸運。

我也同樣嚮往陶淵明描摹自畫的形象——好讀書不求過份考據，家貧樂道，為文自娛，嗜酒忘憂的颯爽人格，即便現實世界的他仍然處世謹慎，也沒那麼縱浪不羈。

上篇提到陶潛有〈讀山海經詩〉組詩，寫他讀《山海經》的心得，我猜他很有可能也是熱衷於奇幻志怪的老宅神、不，我是說老宅男。這組詩第一首就說：

> 孟夏草木長，繞屋樹扶疏。眾鳥欣有託，吾亦愛吾廬。既耕亦已種，時還讀我書。窮巷隔深轍，頗迴故人車。……泛覽周王傳，流觀山海圖。俯仰終宇宙，不樂復何如？（〈讀山海經〉之一）

鳥鳥都飛回樹巢了，田也給它種完了，終於可以回家宅了，因為住得太偏僻，好山好水好無聊，也沒朋友來揪我吃宵夜衝，那我就投入我的《山海經》2D世界，簡直敲爽的。此等體貼未免太深刻，真要深居簡出之我肥宅兄弟才能懂得。要知道世間東抹西塗，人事紛擾鉤鬥，能閉門謝客讀書那真的也是一種大確幸。

老陶對志怪之熱衷，也表現在他著名的那篇〈桃花源記〉，此記原本是〈桃花源詩〉前的序，大家中學幾乎都背過，題解多半告訴我們這是文人懷才不遇進而勾擘之烏托邦。但這樣某某迷了路，意外闖進一個遺世獨立、與外隔絕的異境仙鄉，這其實是志怪裡的一個典型老哏。古典小說研究針對此「仙鄉故事」，還有專門術語稱「入

幻」與「出幻」。這麼說來，咱老陶讀了好幾本奇幻輕小說，自己也試試看寫篇同人出個本，好像也說得過去。

而一般認為與〈桃花源記〉在寫作時間與設定最為接近的，是收錄劉義慶《幽明錄》裡的故事〈劉晨阮肇〉，即便劉義慶生平較陶潛晚，但這入桃花林而迷惑失道的故事，很可能是當時傳說。〈劉晨阮肇〉的開頭設定是說：在東漢明帝時期，劉晨、阮肇兩個阿宅農民跑去天台山取穀皮，未料迷路了整整十三天，簡直比「飢餓遊戲」玩得還久，終於他們野外求生玩不下去快餓死了，這時「桃樹」這個神秘的入幻物就登場了：

(兩人)遙望山上有一桃樹，大有子實，而絕巖邃澗，了無登路。攀緣藤葛，乃得至上。各噉數枚，而饑止體充。復下山，持杯取水，欲盥嗽，見蕪菁葉從山腹流出，甚鮮新，復一杯流出，有胡麻飯糝。相謂曰：「此必去人徑不遠。」便共沒水，逆流行二三里，得度山。出一大溪邊，有二女子，姿質妙絕。見二人持杯出，便笑曰：「劉、阮二郎捉向所失流杯來。」晨、肇既不識之，緣二女便呼其姓，如似有舊，乃相見忻喜。而悉問來何晚，因邀還家。

這一段雖然長但也算白話，總之兩位民工巧遇兩個神級正妹，正妹說「安安，劉先生、阮先生你們的失物請來招領喔」，但劉、阮全然不識兩正妹，竟然敢爽爽地跟著兩個妹回家去了，顯然沒學會江湖傳言「免錢的最貴」。

這前面一大段設定，實在與〈桃花源記〉的「便邀還家，設酒殺雞作食」還有點像，但後面峰迴路轉，走出了完全不一樣的結局。劉晨阮肇跟著回家嚇一跳，正妹家別的不說，就兩張大床，還「施絳羅帳，帳角懸鈴，金銀交錯」，掛一些聖誕樹裝飾到底要幹啥？接著一堆侍女拿了美食招待，吃完以美酒招待，喝完再吃端出桃子招待，終於天也黑了，正妹改以身體招待，喂喂這是什麼情況……總之差不多就是那樣。

十天後兩人覺得體力透支了、不，應該是覺得哪裡怪怪的，要求返家，但又被正妹軍團強留半年之久，劉、阮兩人思鄉甚苦只好跪求正妹，於是「遂呼前來女子三四十人，集會奏樂，共送劉、阮，指示還路。」從兩咩變成四十咩，網速簡直大提

升。可以注意到此處與〈桃花源記〉的差別在沒告訴他倆「不足為外人道」，於是我們就有了個術語叫仙人跳、不是啦，是仙人指路才對。看起來一切還算滿美好的，可以拍成「仙境傳說Online」，只是回家後恐怖到了極點的事才真正發生：

既出，親舊零落，邑屋改異，無相識。問訊得七世孫，傳聞上世入山，迷不得歸。至晉太元八年，忽復去，不知何所？

這段大家都看得懂，暮去朝來顏色改，物非人非事事休。照台灣習俗就是被魔神仔拐走了，一去兩三百年才穿越回來，這個結尾實在有點淡淡的哀傷。想說不過被仙人跳了短短半年，回來親朋故舊早已逝，從前從前有個浦島太郎，既然紅塵俗事已全無羈絆，還真的是不如歸去。這故事收束在晉太元八年，但陶潛〈桃花源記〉開頭是「晉太元中」，若劉晨阮肇是六朝盛行的傳說，那〈桃花源記〉多少有些續衍嫁接的意味。

因收錄進課本，〈桃花源記〉才成了經典作，事實上在唐宋時期，〈劉晨阮肇〉這故事知名度比陶淵明的同人更高。劉禹錫〈遊玄都觀〉詩「紫陌紅塵拂面來，無人不道看花回，玄都觀裡桃千樹，盡是劉郎去後栽。」，「劉郎」明喻說自己，實則暗喻指劉晨；而李商隱〈無題〉著名的兩句「劉郎已恨蓬山遠，更隔蓬山一萬重。」說的更直接了，人人嚮往仙境，但仙境真的太遠了，對曾入仙境的劉郎而言都是那麼遠。

據說〈劉〉影響到了日本民間傳說，而這故事更輾轉影響到了當代的外省族群的創作者——如賴聲川《暗戀・桃花源》或朱天心《想我眷村的兄弟》裡〈從前從前有個浦島太郎〉。去國懷鄉，花果飄零，劉、阮兩人的故事成為文化肌理，香煙裊裊，這時我們才發現那些傷感而有深度的故事，我們那些熠熠閃亮的課文裡，好像很少真正選錄過。

陶淵明（約三六五—四二七年）

字元亮，又名潛，私謚靖節先生，東晉的詩人、辭賦家。作品平淡自然，出於真實感受，對唐代詩歌的創作影響很大，是中國第一位田園詩人，被稱為古今隱逸詩人之宗。

20 亡國前夕的覺醒青年們

——在南朝滅亡之前

我之前出過一本散文集《偏安臺北》，「偏安」這詞依據政治學定義，指的是版圖限縮一隅的殘存國家。爾後遇到讀者，常問起用這詞是否隱含什麼現世隱喻。以現實來說，我島就在崛起威武的大國隔壁，無論酸訕稱之為「強國」，或執拗視之為「敵國」，我們的未來都很難以長治久安來預演。

這幾年覺醒青年洶洶嚷嚷，相對眼前這看似歌舞昇平，實則一切都在衰敗揮霍的時代，經歷過兩蔣時代的長輩，又總喜歡緬懷那十大建設、經濟奇蹟的上世紀。就在這樣的矛盾與興衰中，我經常想起梁武帝蕭衍——想起那個在位四十八年，親手讓大梁這個江南王朝由盛轉衰的皇帝。

若是虔誠佛教徒，大概都誦讀過《梁皇寶懺》這部相傳是蕭衍所編撰的佛典；而若是《瑯琊榜》鐵粉，又聽過我在上屆國際書展講座的讀者，應該還記得《瑯琊榜》劇中猜忌多疑的老皇帝梁帝，分明就是梁武帝的投射。

梁武帝有不少著名的事蹟與傳奇，他活了八十六歲，最後才因侯景虐待而非自然死亡，在那個人類平均壽命不過五六十歲的年代，這當真是基因學生物科技的奇蹟。此外他晚年篤信佛教，斷酒肉，五十歲後禁女色斷后妃，雖然沒有到欲練神功揮刀自宮那種程度，或狂新聞說的切掉GG餵GG那麼狂，但梁武帝確實也數度在家寺同泰寺捨身出家。不少歷史學者認為梁代由盛轉衰、江南王朝淪喪，與梁武帝過度迷信佛教有關。

無論真的假的暫時的，或眼睛業障重不重，篤信佛教的梁武帝並沒有得到現世即時的福報，太清元年（五四八年）侯景之亂爆發，次年侯景攻陷當時的帝都金陵，梁朝雖然還沒有馬上滅亡，但成了風中蟾蜍一隻，撐不到幾年也就差不多GG了，後來的朝代陳接收了一個更殘破的疆土，國境之西的荊州江陵已淪落西魏之手，根本再無險可守。因此由後視昔，侯景之亂應該是真正壓垮南朝的最後也最重的一根稻草。

畢竟歷史是對已然發生事件的歸納，上述這些史料說起來好像很理所當然、綱舉

目張，但實際身陷捲入那個大時代的人們，到底是什麼樣貌，又必須作什麼選擇，這可能就是文學的守備範圍。首先登場的覺醒青年是肇事者侯景。以前歷史喜歡講忠貞或奸邪，但這幾年課綱已改民智已開，所謂的起兵叛亂除了私心私慾，多少有對大環境大體制的反動。

侯景原本是北朝軍閥，夾在東西魏勢力之間，只得投奔南朝。梁武帝原本接納他也是圖其領地，卻算計未遂，於是準備將侯景遣返北朝。君上出爾反爾，臣下反覆無常，造就了這場叛亂。

但我覺得最有既視感、超適合拍成史詩集電影的，應該是侯景攻陷金陵後，他以勝利者之姿見梁武帝的一幕。各位可能會想像吳宇森電影《赤壁》裡，曹操隨便兇兇漢獻帝，獻帝就哭哭怕怕的橋段。但要想梁武帝當皇帝當了快五十年，又是八十六歲超高齡人瑞，根本沒在怕侯景小屁孩一個。所以即便城陷，梁武帝竟是以君臣之禮來接見侯景：

初，臺城既陷，（侯）景先遣王偉、陳慶入謁高祖，高祖曰：「景今安在？卿可召來。」時高祖坐文德殿，景乃入朝，以甲士五百人自衛，帶劍升殿。拜訖，高祖問曰：「卿在戎日久，無乃為勞？」景默然。又問：「卿何州人，而敢至此乎？」景又不能對，從者代對。及出，謂廂公王僧貴曰：「吾常據鞍對敵，矢刃交下，而意氣安緩，了無怖心。今日見蕭公，使人自懾，豈非天威難犯。吾不可再見之。」（《梁書．侯景傳》）

侯景本來自己小孬孬一個，不敢見梁武帝，先派王偉、陳慶之進謁。結果梁武帝還當他臣子召進宮。侯景帶了五百兵卒來自慰，不，我是說自衛，沒想到才被問幾句話，抖到連回話都不敢吭，還以為要漏尿失智了。出來後侯景對左右說，平日在沙場刀頭舐血，人家槍都掏出來了也沒怕過，而今見武帝這老傢伙竟然挫咧等，莫非真是惹到天命所歸的天子，被他老人家的天威龍顏給震懾了？

上課講到這段史料，我都請同學想像——習近平大大率領千萬解放軍攻入台北城，長驅總統府的一瞬，無論之前的馬總統還現在的蔡總統，此際還不早就坐上空軍一號，從松山機場「轉進」到我們中美洲友邦去了，誰有種坐在大殿前接見「叛

軍」，並問對方一句「拎北問你叨位人，來咱厝內衝三小？」

古典時期的歷史上不少君王廟號「靈公」、「昏侯」、「後主」，大概就是那種昏庸失能，喪權亡國的典型，只不過怎麼看霸氣的梁武帝，都不得列為亡國之君。這樁史事看似結束了，但在朝堂現場有個值得一提的配角——當時年僅十六歲的侍中袁憲。他親眼見證這位可給八十七分的梁武帝，是怎麼以AT力場*開霸氣，威壓全場。四十年後（五八九年）袁憲大大五十六歲了，有沒有那麼麻雀衰小或天生帶賽，又給他遇上一次國破家亡的場景，這次是隋軍攻陷都城，而剩下那個以昏庸無道著稱的陳後主：

> 禎明元年，隋軍來伐，隋將賀若弼進燒宮城北掖門，宮衛皆散走，朝士稍各引去，惟（袁）憲衛侍左右。後主謂憲曰：「我從來待卿不先餘人，今日見卿，可謂歲寒知松柏後凋也。」後主遑遽將避匿，憲正色曰：「北兵之入，必無所犯，大事如此，陛下安之。臣願陛下正衣冠，御前殿，依梁武見侯景故事。」

後主不從，因下榻馳去，憲從後堂景陽殿入，後主投下井中，憲拜哭而出。

（《陳書・袁憲傳》）

連隨扈都跑光後，後主身邊就剩下袁憲大大隨侍在側，後主先稱讚一發，後來自己也想找地方逃難去。袁憲這時候提了一個表面看似有風骨，其實內容低能於常人的建議，就是要後主「正衣冠，御前殿，依梁武見侯景故事。」人家梁武帝八十幾歲被當場被斃掉也沒在怕了，但後主年輕人就是年輕人，後主決定帶著他的兩個愛妃躲進井裡避難。不去搭空軍一號在這裡模仿貞子，不是典型的鴕鳥心態嗎？隨後後主與愛妃被隋兵打撈上來，南朝至此宣告滅亡。

從更宏觀的視野來看，南朝士族的風骨隨著侯景之亂與金陵城破，早就消失殆盡了。我們如今再怎麼嘲笑陳後主，但來日大難，身經喪亂，真能選出另一條更磊落更有種的選項來？我充滿疑慮。南朝千古傷心事，這段波折感傷的歷史，還有那些力圖

＊AT力場：Absolute Terror Field的縮寫，又稱為絕對領域。

改變或催化滅絕的人們，早已成為歷史的一部分。後人復哀後人，我們很難說一切重來，該怎麼以古為鑑，只是一切都那麼難以預測，那麼猝不及防。

21 亡國結果怪我嘍？

——庾信與〈哀江南賦〉

上篇我們介紹高齡八十六歲、在位四十八年，親手讓南朝帝國陷入由盛轉衰終局的梁武帝。其實我一直覺得由盛轉衰是個很感傷的詞語，就像偶像劇裡經常有的設定：一對戀人終於來到幸福顛頂，此後再怎麼朝霞暮雪，不得不只得走入衰敗傾圮的結局。

我之前提過這偏安飄搖的南北朝小時代，與當前的兩岸關係、共和國島國間的絲縷轇葛，還有眼見身處之鬼島頹廢敗壞，一心救亡圖存的覺醒青年，頗有可相互參照之處。

不過這整齣亡國實境秀裡，另一個值得介紹的就是庾信，他早年是蕭綱的密友鐵哥們，有沒有基情這我難以考究，但他也是蕭綱東宮裡的重要幕僚，是宮體詩提倡者

之一。但侯景亂起，家國淪喪，他不得不身仕二朝，聘於北朝成了敵國強國的官員，此後文體有了大轉變，還交出了一篇晦澀難解、卻又讓人讀之悲摧的名作〈哀江南賦〉。

庾信的歷史定位如何，各位不妨將之聯想成以前那種投奔自由的義士，或投共叛國的將領。但我覺得在那個朝夕板蕩的大時代，說什麼忠誠或叛國，其實過於理想主義，過於形而上。爾後確實不乏有論者去檢討庾信身為貳臣的不倫或無奈，但這就跟之前那樁爭議的性侵事件、工作小組檢討被害人一樣缺乏同理心。

從歷史發展來說，更無奈的一點在於帝都之所以淪陷，梁朝之所以滅亡，其實庾信本人也推了一把，不是那種隱喻意義的推了一把，而是當金陵被圍前夕，庾信負責防守著就是都城的最後一道防線朱雀橋。這之間到底有什麼前因後果，是命運的糾纏，還是情愛的糾葛，《資治通鑑》說得超詳細，讓我們立刻看下去：

（侯）景至朱雀桁南，太子以臨賀王正德守宣陽門，東宮學士新野庾信守朱雀門，帥宮中文武三千餘人營桁北。太子命信開大桁以挫其鋒，正德曰：「百姓見開桁，必大驚駭，可且安物情。」太子從之。俄而景至，信帥眾開桁，始除一舶，見景軍皆著鐵面，退隱于門。信方食甘蔗，有飛箭中門柱，信手甘蔗，應弦而落，遂棄軍走。南塘遊軍沈子睦，臨賀王正德之黨也，復閉桁渡景。

（《資治通鑑》）

唐朝詩人劉禹錫有首〈石頭城〉，開頭說「朱雀橋邊野草花」，那麼多橋不歌詠吟歎，偏偏選了朱雀橋，顯然詩人對這段哀感的史料也格外熟悉。

司馬光這段史事寫來驚心動魄，但將畫面翻譯一下，卻又覺得有點滑稽。我前面說庾信是當時東宮太子蕭綱的好基友，金陵剩下朱雀門這最後一道防線了，這時只能靠基友了。此刻太子命令駐紮於朱雀門外的三千精兵，截斷朱雀浮橋，以阻斷叛軍挫其銳志。太子沒料到的是我們中出了叛徒（我在說什麼），蕭正德這反骨仔早就叛變了，建議說不要驚動百姓，實在跟當前的政府官員遇到災變時的反應速度有百分之八十七分像。

過了一會兒侯景叛軍終於到了，這時候庾信才帶兵去截斷浮橋，沒想到才剛剛切

斷一艘，就看到侯景鐵面人大軍來了（這種面具不是在SOD裡面才看得到嗎？）

我們的庾信寶寶當時正在嚼甘蔗，不要問我兩軍對峙他怎麼還有閒情吃甘蔗？話說魏晉時士人認為甘蔗可以提神醒腦，和駁檳榔抽菸鎮定心神有點類似。沒想到這時一支飛箭遠遠射過來射中他身旁門柱，嚇壞我們的庾信寶寶了，本來要吃甘蔗沒想到差點吃到慶記*，連甘蔗都嚇得掉到地上，這畫面簡直太美我不敢看。就在大夥沒反應過來的摩門特，庾信他就逃走惹，庾信他就逃走惹，庾信他就逃走惹（因為太震驚所以說三次）。蕭正德黨羽立馬接上朱雀浮橋，於是金陵失去了最後一道防線只得陷落。

所以即便〈哀江南賦〉寫來悲摧，寫自己身歷無數次家國淪亡，眼前金陵城滅的燒殺擄掠，但庾信寶寶自己多少也得負些責任，所以田曉菲在評論庾信大半生功過，心境與認同，說得很清楚：

> 庾信是一個很複雜的人，終其一生似乎都被負疚感、悔恨、羞恥和思鄉情緒所折磨。這不僅在他的鴻篇巨製〈哀江南賦〉中有所反映，而且也可以從其他篇幅短小的詩歌中見出端倪。在庾信晚年最後寫下的詩篇裡，他預見了南朝的覆

滅，沒有自我欺騙，也沒有任何自我安慰。……庾信也許終生都為西元五四八年十二月九日他在建康秦淮河邊，面對侯景軍隊時表現出來的怯懦感到羞恥，但我們卻應該感謝他，假若庾信那一天沒有調頭逃跑，我們就會失去最好的歷史見證人之一。他作為倖存者的記述使我們在千載之下得以瞭解在天翻地覆的巨變中，一個人的個體際遇、心態與感情。（田曉菲《烽火與流星》）

照田曉菲的解釋，庾信是最後的勝利者，因為他活著將這段虛幻、遲緩的歷史清楚地記錄保存下來，即便這勝利沒有給他帶來任何喜悅或安慰。我覺得再怎麼偏安飄盪、危如累卵的最壞時代，總是有這樣的記錄者，他們危顫顫、靈巧巧替我們寫下來這些作品。即便批踢踢怎麼戰文組理組，鄉民如何定位文學之毫無意義，但正因為有這些文學作品，我們才讀懂他們那一代人是什麼模樣，也因此才讀懂我們這一代人終將是什麼模樣。

＊慶記：台語「子彈」的諧音。

庾信（五一三—五八一年）

字子山，南北朝時期文學家，祖籍南陽新野。仕北周官至驃騎大將軍、開府儀同三司，故人稱「庾開府」。梁末亂世庾信遭北聘而終生不得歸返江南，初期文風綺靡，國家淪亡後寫成〈哀江南賦〉，受到後來的文人廣泛推崇，是南北朝文學的集大成者。

輯三

唐朝的魯蛇與勝利組

套房
大套房
租

22 一切都是幻覺嚇不倒我的

——唐傳奇〈杜子春〉

之前侯孝賢導演改編自唐傳奇的電影《刺客聶隱娘》，在國際影展大放異彩，很多同學問起「唐傳奇」這個他們略顯陌生的體類。

「傳奇」本指「非奇不傳」，多半出自文人手筆，主要拿來作為「談資」之用，意思是當抬槓的話哏，也可能作為科舉之前的溫卷，因此只能算是小說的濫觴，即便有一些小小淒美的情節轉折，但一方面篇幅不長故事受限，二方面其中角色多半為才子與佳人，一開口就文謅謅，可讀性不甚高，也無怪比不上唐詩來得經典。

且就唐傳奇經典來說，裴鉶的〈聶隱娘〉知名度不算太高，相較來說〈枕中記〉、〈南柯太守傳〉流傳更廣泛，我們現在還有「南柯一夢」的成語（和那個外表看似小孩的名偵探沒關）。學術圈一般認為元稹〈鶯鶯傳〉是唐傳奇的代表作，這是從文學史流變來考量的，因為後來王實甫的雜劇〈西廂記〉即脫胎自張生、鶯鶯故事。

也有學者認為唐傳奇的壓卷之作當屬〈杜子春〉，〈杜〉也確實是一篇極絢爛豔異之作。故事講一紈褲子弟杜子春，敗光家產徒步走在長安街頭，當時正值寒冬，眼看窮途末路了，他仰天長嘆。此時一老人上前關心（你聽過安麗嗎？），無償送了三百萬給他，若發生在今日，擺明是汽車貸款或新詐騙手法。

不料杜子春有錢後故態復萌，一兩年間將三百萬敗光。老人再度出現又金援了他一千萬，沒多久竟又敗光。情節到此有點白爛了，有點像我們對邦交國的政策。杜子春三遇老者，這位長安郭董再度資助他三千萬。（馮夢龍《三言》改寫此故事，題目即〈杜子春三入長安〉）杜子春想大恩難報了，只好以身相許、不是，是說他這條命就豁出去了。於是他把家眷安頓好，隨老者上雲臺峰煉丹。老人要杜子春坐定丹爐前並告誡他：

> 慎勿語，雖尊神惡鬼夜叉，猛獸地獄；及君之親屬，為所囚縛，萬苦皆非真實。但當不動不語耳，安心莫懼，終無所苦。當一心念吾所言。

這段翻譯就是「一切都是幻覺，嚇不倒我的」，只要不言不動，就可以安然過關。接著各種幻化而成的逼真折磨接連出現，一個接一個考驗杜子春。一開始有一將軍率領千軍萬馬，但他不畏恫嚇。再來是水淹火燒，連地獄牛頭馬面都給請來了，一群人輪流施虐杜子春，將他「或射或斫，或煮或燒」，這難道是SM情節嗎？已經超越《格雷的五十道陰影》了，根本像電影《奪魂鋸》。

最後閻羅王見杜子春不發聲呻吟，下令他投胎轉世成為女人，可見當女人有多麼難為啊。於是杜子春轉世成了一容色絕代的啞女，開啟了她的第二人生。你說這會不會太超展開？這種夢境之夢有點像駱以軍《遣悲懷》，也很像布西亞「擬像」理論，或電影《駭客任務》的唐傳奇版。

因生為啞女，偽娘（？）杜子春自小受盡委屈，終於嫁給盧生、生下一子，原以為終於迎來幸福生活了，但就在兒子兩歲時老公抓狂了，認為杜子春不說話是看不起他，於是把氣出在兒子身上、抓兒子砸石頭，當場腦漿爆裂、血濺數步。至此，杜子春終於忍不住發出「噫」的一聲悲鳴。就在這一瞬間，周遭場景灰飛崩解。原來連同第二人生在內，都只是進入夢境的第四層，此時始終坐在他對面的老者，和杜子春解釋失敗的原因：

> 吾子之心，喜怒哀懼惡欲，皆能忘也，所未臻者愛而已。向使子無噫聲，吾之藥成，子亦上仙矣。嗟乎，仙才之難得也！吾藥可重煉，而子之身猶為世界所容矣。

原來一切都是老人為讓杜子春修練成仙的考驗，但無奈人生於世最難忘者，唯愛而已矣。因為愛的緣故，杜子春終不能臻入化境，只得作為一個人繼續困守或被這世界所容受。這樣「度脫」*情節，也成為爾後宋話本與明清戲曲的重要主題。

我記得當年初讀，就為這故事之深刻、機巧、幾經轉折的敘事給深深震撼了。無論是情節、分鏡或場景，〈杜子春〉都非常具現代感，宛如刺激緊湊、讓人腎上腺素破表的好萊塢爽片，而最後因「愛」而功虧一簣的設定又溫暖療癒，款款動人。很難

---

*度脫：宋元話本中的一種類型，以「度化求仙」為主題。

想像一千兩百年前的唐傳奇，就已預示了我們現實世界的一切可能都是假的，都是眼睛的業障，如電幻泡影，如海市蜃樓——但至少我們還有愛。

因為愛才是人之所以為人，而人之所以能存在於世界之中的最終一道考驗和難題。

唐傳奇

泛指唐代文言文短篇小說，上繼承六朝志怪小說而來，內容主要分為愛情、志怪、俠義、歷史四類，代表作如沈既濟的《枕中記》、元稹《崔鶯鶯傳》、李公佐《南柯太守傳》、杜光庭《虬髯客傳》等。與元朝的筆記、志怪小說不同，具有複雜情節和曲折描寫。

---

23 居住正義

——杜甫〈茅屋為秋風所破歌〉

鄉民喜歡譏訕台灣人健忘，無論什麼激昂生猛、沸沸揚揚的公眾議題，嚷嚷了一兩個星期，隨即又春夢無痕。我們重新挖掘另一個無關緊要的明星劈腿、影片外流或小貓受困事件。

但我總希望大家不是真的忘記，像《神隱少女》的白龍，只是一時想不起來自己的名字。如前陣子喧騰一時的社會住宅議題。那些豪宅居民對於青年、弱勢者的排斥，夜宿帝寶的社運，以及幾經辯證的「居住正義」議題。到底房屋是必需品還是奢侈品，是住者有其屋？還是階級流動停滯的當前，如批踢踢所揭示的——魯蛇永遠無法翻身以成為人生勝利者？

就在社會住宅鬧擾擾的那時，我的大一國文課剛好教到杜甫的〈茅屋為秋風所破

歌〉，那是一首字句數不限的歌行體樂府，文辭也相對清暢，杜甫敘述自己於安史之亂後，於四川營建棲身的草堂、不敵強勁秋風以致屋頂茅草被吹破掀翻的日常。於是我和同學談到了社會住宅的話題。

其中一個拒絕青年租賃的建案，就在我家對面一河之隔的水岸，我日日看著他們的摩天樓牆面點起氖氣霓虹燈。我問同學：「豪宅住戶拒絕（交遊複雜的）青年、（可能淪為偷拐搶騙的）弱勢家庭或前科者入住，那各位有否想過，這些人現下住哪裡？不瞞各位，他們就住在我家隔壁。」

我樓下信箱常貼著法院的傳票，員警也幾次上門問起左鄰右舍近況，但中低收入族群只能租得起這區。我和同學說不要以為前科者就是壞人，作一個低收入者，犯罪的機會太多了，這個社會制度與律法本來就不是為了保障他們。我常看到樓下情侶倆牽著抱著小孩四貼騎上機車，媽媽染著金髮、腳踝上刺青鮮豔挑逗。隔壁樓上住了個腦麻少年，母親總是緩緩牽他爬上沒電梯的五樓。對面租給科大學生的套房徹夜狂歡K歌。一樓酒精中毒的阿伯總喝到凌晨發酒瘋才驚動管區。這已經超乎布赫迪厄*的理論了。然後我們來看杜甫這首詩：

八月秋高風怒號，卷我屋上三重茅。茅飛渡江灑江郊，高者掛罥長林梢，下者飄轉沉塘坳。

南村群童欺我老無力，忍能對面為盜賊。公然抱茅入竹去，唇焦口燥呼不得，歸來倚杖自歎息。

這間位於浣花溪畔的茅屋，就是日後著名的杜甫草堂。從詩中的描述與工法，大概可想見草堂的殘破與簡陋。茅草被吹跑，又來一群小屁孩搶了茅草就跑。接下來杜甫寫一瞬烏雲密佈，落下連密雨滴，屋漏逢夜雨，這不僅是日常的禍不單行，更是杜甫行至哀嘆中年的人生寄寓。但最後一段話鋒一轉，他發了個悲天憫人的大願：

＊皮耶．布赫迪厄（Pierre Bourdieu，一九三〇—二〇〇二），著名法國社會學大師、人類學家、哲學家。他提出「文化資本」等階級論，認為工人階級家庭的子女有著與上層階級全然不同的習態。

安得廣廈千萬間，大庇天下寒士俱歡顏？風雨不動安如山！嗚呼！何時眼前突兀見此屋？吾廬獨破受凍死亦足！

自己無房頂可避雨，杜甫想的卻是天下受凍之人，試想自己家被強制都更了，誰還能思及其他無家遊民？之前的八仙塵爆，鄉民反覆對「同理心」這個命題辯證。同理心一概念可追溯至儒家講的推己及人或民胞物與，但那終究是口號。最能承受的痛苦是加諸於別人身上的，旁觀他人之痛苦，我們很輕易就擺出自矜的姿態或給出施捨的同情。

我和同學說不要質疑杜甫是不是假掰，他這首詩不是為誰而寫，不過是日常生活的糗事，猶如臉書的動態更新。所以我們更能相信最末「吾廬獨破受凍死亦足」是出於誠意真心。你可以說杜甫房屋半倒沒去申請國賠，還在那邊練肖話，是深受儒家文化荼毒。但這就是繼承《論語》、《孟子》道統，一心要「致君堯舜上」的儒者姿態，雖千萬人吾往矣。

中學時，我總以為李、杜並列為唐詩的代表作家，但體會詩歌流變更深，才深覺杜甫才是整個唐詩、以至於文學史中最核心的詩人。他吸納了六朝詩歌的養分，而影響了中晚唐到宋元明清大部分詩人與詩論。更重要的可能是他那種推己及人的襟抱是如此渾然，不為了什麼，有如膝反射般自然。

與西方藝術家相比——像深居地下室而寫出《追憶似水年華》的普魯斯特，或由弟弟供養最後終於瘋狂的梵谷，他們將藝術創作視為一種崇高的美學。朱天文為其父朱西甯的《華太平家傳》寫的序裡，引用了馬奎斯《百年孤寂》，將寫作比喻成邦迪亞上校以手工陶鑄的小金魚。

然而中國古典時期的作家，從來不將書寫視為什麼崇高的技術或賦予意義，他們秉持儒家文化，用舍行藏，通經是為了致用，是為了經世濟民，若真的懷才不遇、也不該露才揚己，只能抱著滿腔的鴻鵠大志，隱居著述，藏諸名山。

肉身即是道場，古典作者就是這麼活生生、血淋淋存在於現實世界。藝術原本也就是來自於現實世界。這可能就是杜甫之所以為杜甫的意義與價值。

24 原來你也在這裡

——杜甫〈江南逢李龜年〉

我偶爾與其他大學教「歷代詩選」這門課的同行聚餐，談這課的綱目分配比重、選讀與習作的細節。古典時期說「文必秦漢，詩必盛唐」，即便此課名曰「歷代」，但大部分課程重心仍然在唐詩，而唐詩中不免又以杜甫最重要。我讀大學時這門課的教授甚至在課堂說：杜甫以前的詩都在為其準備，而杜甫以後的詩都又受其影響。足見老杜詩的承先啟後。

前篇我們介紹杜甫的〈茅屋為秋風所破歌〉，遙想了當年老杜心目中的居住正義，他老人家前半生南遊吳越，北遊齊趙，過著輕狂消散的生活，而後半生又遭逢安史之亂，四處流寓，漂泊無依。要是在當前批踢踢的定義，這就是一齣標準準的小魯蛇以至於老魯蛇的演化史。

我們以前都說杜甫號稱詩聖、詩史，其詩歌反應社會現實，描寫戰亂和饑饉，但我以為更重要的是，杜甫之狂就狂在他的詩無事不可寫，不矯揉不假掰——逃難時得友人救濟，請他泡個足湯，他就寫「暖湯濯我足」；與朋友久違重逢，人家請他吃個家常便飯，他又寫「夜雨剪春韭，新炊間黃粱」；輪到他請人家吃飯，要酒沒酒要菜沒菜，他寫「盤飧市遠無兼味，樽酒家貧只舊醅」。那麼爽朗颯快而真性情的作家，盛唐諸公實在很難亭之並論。

但即便看似那麼草率那麼口語的詩歌，仍然有難以想像的質量與厚重。之前的指考考題「舉重若輕」公佈出來，被作文專家譙到翻，說十七八歲花樣少年少女還童稚無邪、天真爛漫，有何生命之不可承受之重可以舉重若輕。然而更細膩來說，輕重此舉未必與年齡相關，更來自於身世經歷，當生命之沉重不可解來的太突梯過於巨大，沛然難以衛禦，我們不得不提早成熟以迎刃而對，一夜長大。就像本篇介紹的這首杜甫〈江南逢李龜年〉：

岐王宅裡尋常見，崔九堂前幾度聞。正是江南好風景，落花時節又逢君。

李龜年這名字雖然貌似有點龜，但其人可是開元年間的著名樂工，根據《明皇雜錄》：

開元中，樂工李龜年、彭年、鶴年兄弟三人皆有才學盛名，彭年善舞，鶴年、龜年能歌，尤妙製渭川，特承顧遇，於東都大起第宅，僭侈之制，踰於公侯……其後流落江南，每遇良辰勝景，為人歌數闋，座中聞之，莫不掩泣罷酒。（鄭處誨，《明皇雜錄》）

換言之，李龜年就是當初大唐盛世的演藝圈中人，由於受皇室特殊待遇而年收入破千萬，一如我們的小S、蔡依林、胡瓜一般，在信義區、仁愛路坐擁豪華第宅，甚至超越當時公侯。其後安史亂爆發，龜年流落江南，淪為江湖賣唱，然而聞其歌聲的聽眾難免不想起開元盛世，哭哭而罷酒。

再回來看這首被《唐詩三百首》編者蘅塘退士稱讚為「少陵七絕，壓卷之作」的詩，就會覺得它雖然白話，卻底蘊無窮：「我以前在岐王宅、崔九堂常聽你開演唱會，現在到了江南的落花時節，我們又見面了。」

就像教「舊時王謝堂前燕」這時候，我請同學想像帝寶灰飛湮滅的未來昔日，教這首詩我也會請同學幻設一個場景，在我們南疆的太平島降級為礁，在我們的藝人被迫表態的當前，誰能確保我們危若累卵的偏安政權，還能風雨飄搖幾多時？那麼假若何其不幸地，我們這一代就得身經喪亂，時間繼續推移，五十年後你步履蹣跚行經東台灣某個漁港，聽到不遠對街傳來當年方文山替蔡依林寫的、當年世博的主題曲〈台灣心跳聲〉：「用狂草寫雲門／用蜂炮築一座城／媽祖永恆／世世代代的虔誠」，你走近一看才發現演唱者正是已成老嫗的蔡依林本尊，你當年排隊搶聽過她在小巨蛋演唱會唱現場，看過她著寶藍色小禮服、劈腿一字馬從天而降的永恆場景。白雲蒼狗，物事全非，像張愛玲那句格言的複寫，沒有早一步也沒有晚一步，就在這裡遇見你了。

這麼再來讀杜甫這首詩，字行間的感染力是何其雄渾震撼。美國漢學家宇文所安（Stephen Owen）在《追憶》一書的前言，就細膩論述這首詩，他說在一個尋常的年代，沒人會對「尋常」的東西給予珍視，然而我們一旦如杜甫般失去了隨時相聚的機會，相逢的經常成了隨機，再不可預期的珍視物，此時尋常也成了「異乎尋常」：

杜甫現在這副模樣或許不會讓李龜年想到，這樣一個人以前在官宦士紳與騷人墨客的、美事紛陳的聚會上曾是常客——然而，當時誰又能料到李龜年今日的遭遇。杜甫「認出了」李龜年，從李龜年的的眼中看出了自己目前的境況，他希望李龜年也能認出他，能知道他與他曾經是同一種人。

所以這首詩看似那麼美好，卻又何其沉重，如以往詩話所評價的：「四句渾渾說去，而世運之盛衰，年華之遲暮，兩人之流落，俱在言表」，國家由盛轉衰了，杜甫和龜年從盛年走向衰老了。場景從當年的長安天龍國到了江南瘴癘地，但詩的表面什麼都沒說，「又逢君」，我又遇到你了。可能是最後一次，沒有早一步也不會晚一步，一切似乎都太遲了，卻好像又還來得及。

這就是老杜詩，那些國仇家恨，盛世哀音，那麼沉重那麼輕巧地被再現出來。身處當前的我們——我說我或詩選課的同學們，真的無由揣想國破家亡、山河異代，一切猶如量子坍塌蟲洞裡文明基業的終局，像一場暴風雨，像難以回收的風箏線，像夢境本身的夢。但杜甫已經替我們寫過了，他的紀錄那麼短，那麼潦草簡潔，卻重得難以言喻，重得無以承受。

杜甫（七一二—七七〇年）

字子美，號少陵野老，因其曾任左拾遺、檢校工部員外郎，因此後世稱其杜拾遺、杜工部。是唐朝現實主義詩人，作品以社會寫實著稱，與李白合稱「李杜」，對中國古典詩歌的影響非常深遠，被稱為詩聖。

25 因為錯過這輩子，所以我才那麼愛你

——元稹〈遣悲懷〉

我們定義詩，總喜歡引「詩言志」這句儒家的美學教養當作標準答案——詩歌的功能在於表述雅正的志向，具備教化功能。但即便如此，就我所知的文學作品中，若不算鄉民最愛的藏頭詩，情詩終究還是比言之諄諄的作品更具備感染力，比曇花短，比愛情長。

像我們中學課本都學過的鄭愁予那首「我達達的馬蹄／是美麗的錯誤」、席慕蓉那首「我已在佛前求了五百年／求祂讓我們結一段塵緣」……而轉載最多的大概是夏宇那兩句：「在我們苦難的馬戲班／為你跳一場歇斯底里的芭蕾」。詩句將愛情裡的卑微隱痛詮釋到最深、最內之夢境底層，幾乎要觸到臟器那根肉膚色、極堅韌又極柔軟的黃金琴絃。

然則縱觀《唐詩三百首》、以至於整段唐詩範疇，元稹的三首〈遣悲懷〉大概最為情詩之代表、悲戀之肯綮。各位若嫻熟台灣現當代小說，馬上能聯想到小說家駱以軍有《遣悲懷》同名作，不過駱這本嫁接了各種敘事、後設倫理，猶如《火影忍者》宇智波家族的無限月讀之夢中夢的小說，其實有一個致敬的前文本，就是已故作家邱妙津的《蒙馬特遺書》。而在邱妙津此書中，她則徵引了法國詩人紀德悼亡愛妻所作的詩集《遣悲懷》。

我想當初譯者大概是囊蒐古典文學作品，發現唯有元稹為他的亡妻韋叢所寫的這三首七言律詩、情感鮮烈濃郁，足以與紀德相稱匹配，故以格義之法翻譯了此書名。我並非炫學而搬演這一連串致敬作品，而是要說這樣的悼亡傳統實則流長淵遠，而本篇即介紹〈遣悲懷〉：

謝公最小偏憐女，自嫁黔婁百事乖。顧我無衣搜藎篋，泥他沽酒拔金釵。野蔬充膳甘長藿，落葉添薪仰古槐。今日俸錢過十萬，與君營奠復營齋。（〈遣悲懷〉之一）

「謝公最小偏憐女」用的是《世說新語》裡詠絮才女謝道韞的典故，元稹一方面指自己家貧愚拙如黔婁，一方面反襯其妻才德兼備。這幾年我的詩選班同學多半出生於九〇後，不乏有奉行「半年魔咒」戀愛觀的美型男花樣女，像劉若英〈親愛的路人〉唱的：「那時候年輕不甘寂寞／錯把磨練當成折磨」，草率交往又輕易分開，沒必要為彼此忍辛酸受委屈。但我會和同學說戀愛有甜蜜有苦澀，往後我們回憶起某段早夭的戀情時，當初轇葛的磨折或酸楚，往往成了最好的時光般熠熠閃爍。

往日崎嶇還記否？一對戀人磕磕絆絆走過爭吵、貧困終而磨合的時光，卻始終彼此緊牽著對方的手，這是何其的彌堅彌貞，三生有幸。而元稹與韋叢最大的悲哀來自於貧困，於是乎這些愛妻為他典當妝奩、添衣買酒的糗事；這段以長藿充飢、撿古槐燒材近乎遊民的時光，成了元稹記憶裡的永恆場景。

今日批踢踢BG版（男女版），多少戀人糾結在這樣的迷宮賽局脫身不得——大學時期的班對情侶，出社會發現價值觀落差而勞燕分飛；一起準備考公職的戰友戀人，誰考上後再不敵世情壓力的風雪消磨。他們會說「現在的他是我親手造就的」，會唱梁靜茹那句感傷歌詞「可惜不是你／陪我到最後」，但我勸同學何不讀〈遣悲懷〉

的尾聯：「今日俸錢過十萬，與君營奠復營齋」，這詩實在太淺了，直露地過份，「現在月薪破十萬，只能給你辦法會」，但非不若此，我們無以體貼元稹的悔咎與自責。

他倆當初錯過的大雨，如今再回首已煙塵歸土。但我覺得愛情和麵包的辯證應當在於——歷史不容假設、不容重來。若他倆當初過著平行時空另一面的優渥生活，那麼這段不曾經歷的艱辛，難保不會質變而過了賞味期限。這隨時摻入各種變因的恆不等式，可能才是愛情真正的模樣。

> 昔日戲言身後意，今朝皆到眼前來。衣裳已施行看盡，針線猶存未忍開。尚想舊情憐婢僕，也曾因夢送錢財。誠知此恨人人有，貧賤夫妻百事哀。（〈遣悲懷〉之二）

也因此，再看〈遣悲懷〉之二的「昔日戲言身後意，今朝皆到眼前來」，才備感淒冷。一段初始已顛簸的愛情，怎容得下後設的可能？熱戀期的我們都問過對方「你會愛我多久」這類奢侈戲言，但有一天親愛的你不在我身邊了，當初的戲謔如今看

來可是比什麼都還認真。所以元稹將妻的舊衣都捐回收箱了，最後留下她貼身的化妝包。那是最後的遺物了，象徵愛情曾經來過又悄然而逝。他也知道這一切都是大自然，知道此恨人人有，更不斷自我辯證——「鄧攸無子尋知命，潘岳悼亡猶費詞」，明知一切都是必然，過去作家潘岳仍寫〈悼亡賦〉，仍如這般執拗、這般不捨。

所以第三首〈遣悲懷〉最末，元稹說自己唯有終夜不眠，以憑弔亡妻生前苦難。我上次說古典詩真正意義在於它替走索般、隨時陷入危境的我們現代人，預錄好一套抒情派勢。但即便如此，這些詩篇也少有像元稹這首詩般那麼直截、沛然無禦地嶄露情感。那麼義正詞嚴，又那麼一往情深。

元稹（七七九—八三一年）

字微之，唐朝詩人，與白居易並稱元白，二人共同倡導新樂府運動，詩作號為「元和體」。現存詩八百三十餘首，有《元氏長慶集》傳世。

26

昨日鄉民酸語，今日感傷詩篇

——劉禹錫〈烏衣巷〉

之前馬英九與習近平兩位大大會面的「馬習會」，掀起了鄉民熱論。比起前些年壁壘清晰的藍綠對立，這幾年八卦版鄉民似乎較有了同一性，立場顯得更明確俐落了。看新聞或文章前面有沒有被噓爆的「××」符號，大概就能掌握其立場。最令人發噱的是——因鄉民多半嫻熟《三國演義》之角色形象，於是那位曾說「樂不思蜀」的後主劉禪，就成了典型的戲擬人物。各種臉書惡搞與「馬皇」複影疊合，無限期瘋轉。

我研究魏晉南北朝文學，尤其聚焦於偏安江南的小時代，面臨種種北方強國威逼懷柔，複雜又舛變的家國認同成了難以承受之重。誰能料想到自身之存在時空節點，也很有可能親身見證一如南朝、南宋、南明那般——國家社稷靈光黯淡、灰飛煙滅的

終局呢？

但若我們跳脫開時間軸的縱深，就會發現這樣的偏安殘局、強國崛起，甚或什麼和平協議或武力併吞，在歷史發展中都似曾相識，之於綿邈宇宙而言都不過是煙花過眼，猶如屑沫微塵。現刻一眼可能成為典故而被記憶下來，其後的史家詩人，再用另一副眼光旁觀或吟謳這一切。這就是本篇介紹的兩首劉禹錫的詩。

〈烏衣巷〉這首詩，乍讀起來很適合學齡前孩童背誦。也確實，我的學長帶他甫上幼稚園的公子偕往南京開會、參訪烏衣巷時，那孩子沿途就背起劉禹錫這首七言絕句：

朱雀橋邊野草花，烏衣巷口夕陽斜。舊時王謝堂前燕，飛入尋常百姓家。

這首詩深邃機巧之處，也正在於其簡潔與草率，詩人好像是晚飯後、信步走進了金陵弄堂，行經朱雀橋、轉入烏衣巷，看了眼野花、望了望夕陽。但讀這首詩有個前理解——烏衣巷是六朝當時權貴雅聚的場所，而朱雀橋則是當時都城抵禦叛軍的最後一道防線。《南史・謝弘微傳》有一段「烏衣之遊」的記載：

（謝）混風格高峻，少所交納，唯與族子靈運、瞻、晦、曜、弘微以文義賞會，常共宴處，居在烏衣巷，故謂之烏衣之遊。……其外雖複高流時譽，莫敢造門。

謝混這人性情孤高，不願與俗士來往，只與幾個姪兒謝靈運、謝瞻、謝晦討論文藝取暖。但即便看似風雅清峻的聚會，卻也立基於他們獨特且具備高度文化資本的權貴階級之上。這麼解來，這首詩寫的兩處豈是一般場景？教這首詩時我向同學舉例——可以將「烏衣巷」想像成頂新魏董、勝文和小S老公相偕聚會於帝寶內裡的宴會廳，他們於此分享彼此投資心得。當然，謝氏家族的聚會還有點文藝沙龍的況味，但當年烏衣巷之深不可測、絲毫不遜於當前的帝寶。

接著，各位不妨再想像，百年後的都城台北，因各種不思議的因緣——導彈或核爆之類的——荒蕪頹圮、毀於一燼了。你踏著斷垣殘壁，再度走到仁愛路三段，走

到帝寶的殘骸遺跡前，看著人行道旁的野花，遠方宛如燃燒的斜陽，遙想著很多年以前此地曾擁有過繁盛幻影。京華煙雨，故國殘夢。就像鍾文音《艷歌行》裡的句子：「我知道一切終將成為廢墟。」

這也就是為什麼此後的詩歌中，有那麼多關於六朝的懷古詩。南朝千古傷心事，這麼讀來，才終於懂了詩後兩句的悵惘。劉禹錫不是寫「王謝堂前燕」飛去了他處，長空澹澹孤鳥沒。事實上這群燕子未曾離開過，牠們千百年都在這豪宅檐廊前築巢孵育，存續看似無知實則善感的生命。只是當年權貴世族的府邸，如今成了尋常百姓的居所。毀滅並不是一瞬間完成的，而像慢性毒素絲絲沁入，像棒球賽時慢動作重播的揮棒落空，眼睜睜看著球棒與白球一分一吋就此錯開。

這就是唐詩獨有的雋永與幻美，像劉禹錫另外一首感嘆金陵王氣不再、同樣收錄於《唐詩三百首》的〈西塞山懷古〉：

王濬樓船下益州，金陵王氣黯然收。千尋鐵鎖沈江底，一片降幡出石頭。人世幾回傷往事，山形依舊枕寒流，今逢四海為家日，故壘蕭蕭蘆荻秋。

印象中還不是太久之前，我們還隨口奢言什麼統一或復國，如今面對強國崛起的威脅，王氣黯然的現勢，白雲蒼狗了，這才開始恐慌或亢奮可能的另一種結局。但我以為古典時期作品的意義就在於——它替我們預習一遍可能的創痛。經歷了各種苦難與喪亂之後，南朝迎來了終局，沒有人再去思索「今逢四海為家日」硬幣另一面有多沉痛。但詩人看得更遠，他穿透了眼前的雄圖霸業，看到了視線盡頭的孤墳故壘，看到了秋風中搖曳的蒼白色蘆荻。那些荻花正是歷史的見證者，它提醒我們曾經存在的偏安王朝，還有那些曾經的繁華、信念與勇敢。

所以我經常慶幸，至少我們還有詩。

劉禹錫（七七二—八四二年）

字夢得，唐朝文學家、哲學家，有詩豪之稱，與柳宗元並稱劉柳，和韋應物、白居易亦曾有同題酬作。著有〈陋室銘〉、〈竹枝詞〉、〈金陵五題〉等著名詩篇。

27 曹操，快放開我的志玲姐姐

——杜牧〈赤壁〉

香港作家陳冠中以架空歷史小說《建豐二年》受到矚目，故事以假設為前提，若國民黨在當年未丟失中國大陸，倒轉沙漏，將會是何等情境？這種「烏有史」向來是小說家專擅手筆，但該發生的沒發生，一切宛如蝴蝶效應、河道分派，歧路花園，那麼每個細節和虛擲或奢言的夢想成了泡沫，這又是什麼樣的幻影蜃樓？

但興衰同塵，蓋棺論定了，我們這座堅固到不曾煙消雲散的歷史，容得下絲毫的假設嗎？像那個以前名叫「小叮噹」的機器貓，和塞進大雄抽屜裡的時光機。鄉民喜歡說「多想兩分鐘，你可以不要發廢文」，但那時光甬道蟲洞的盡頭，深藏著永不可逆的魔幻機制。

若回到古典詩脈絡來說，晚唐詩人如李商隱、杜牧，都對於詠史題材頗為熱衷，即便在七絕的四句二十八字那麼短小的篇幅當中，杜牧仍調度了我們以為小說家才擅長的虛擬幻境。他那首同樣收錄在《唐詩三百首》中的〈赤壁〉，恐怕可視之為此類後設詠史詩的代表作：

折戟沉沙鐵未銷，自將磨洗認前朝。東風不與周郎便，銅雀春深鎖二喬。

和之前提過的劉禹錫〈烏衣巷〉相似，這首詩的前兩句不過是日常現實的集綴，一個俯拾即是的光景——作者難得不當家裡宅，跑到赤壁古戰場閒晃，一不小心撿到了折斷的箭頭一枚，將之磨洗拋光，才發現是前朝遺物。昔時人已沒，今日水猶寒，既然前朝此地即是赤壁古戰場，很容易讓人聯想到西元二〇七年隆冬，曹操鐵騎揮軍南下與東吳、劉備聯軍對壘、確立了日後三分天下的赤壁之戰。

但這詩的後兩句以非常輕巧魔幻的技藝，幻構一擬像非真的假設——若當年周瑜沒盼來東風，則東吳聯軍勢必無法火攻曹軍，那麼赤壁一役慘敗，江東八十一郡盡歸丞相麾下，那麼曹操還不將江東兩大美女、大喬與小喬，納入他的銅雀臺，成為他後

宮后妃之二（志玲姐姐：丞相懷著滿滿的心來到赤壁，有人會給你倒空）（怎麼有點色色的）？

話說鄉民在遊戲動漫豢養下，對「江東二喬」那可是知之甚詳。東吳兩大正妹乃喬國公之女，大喬為孫策婦，小喬為周瑜婦。電玩裡她們何止婦容婦德，更是執戟披甲，戰鬥力爆表。這首詩讀來即便有些白爛，但堪稱合理，君不見而今「幻想三國誌」者流的動漫遊戲一拖拉庫，不過是公堂之上，假設一下而已。但誰就料這麼兩句詩，到了講實證、論格物的宋代理學時期卻引來詩評家的譏諷。許彥周就說：

> 牧之作〈赤壁詩〉……意謂赤壁不能縱火，即為曹公奪二喬置之銅雀台上也。孫氏霸業，繫此一戰，社稷存亡、生靈塗炭都不問，只恐捉了二喬，可見措大不識好惡。（許顗，《彥周詩話》）

這段翻譯就是，若赤壁不得火攻，國破家亡是何其慘烈，但杜牧根本沒想百姓慘況，只在擔心妹紙是不是被抓了，秀秀哭哭，真的是「措大」不識好歹。「措大」是當時口語，正確翻譯為「書呆子」、「兩腳書櫥」那類，但我和同學說這詞更好應翻譯成阿宅，咱阿宅網軍成天只管妹仔，哪管得到什麼社稷黎民，什麼救亡圖存。

不過到了後來，許彥周這段評論卻反過來成為笑柄。明清的詩話認為宋人不足以言詩，不懂唐詩裡最感性最抒情的橋段，宛如一枚閃閃發亮的鋼琴鍵，撩撥時代最內裡最隱晦的秘密。二喬淪為曹賊之手，則東吳灰飛煙滅又何足道哉？這是以小歷史來注疏大歷史，從情感從虛構，從最不可能刺戳穿入的方向空際橫練、使出的絕妙劍招。

說到這我想起杜牧另一首同樣玩弄後設技法，向堅實而無情的大歷史敲打詰問的〈題烏江亭〉，這詩寫的是當年烏江畔自刎的項羽，那幻設的情境讓人悵然：

勝敗兵家事不期，包羞忍恥是男兒。江東子弟多才俊，捲土重來未可知。

杜牧的意思是項羽何必在那邊傲嬌說「無顏見江東父老」，暫且躲回江東洗洗睡，過幾年再捲土重來和劉邦輸贏就好。這假設說來輕率，但歷史的組成充滿了太多隨機的巧合與變動不居、量子力學般的現實潰縮、全面啟動。日後李清照寫了首「生

當作人傑，死亦為鬼雄。至今思項羽，不肯過江東」來回應杜牧，在那垓下四面楚歌情境裡、揮淚別愛妾愛馬的西楚霸王，到臨死前是什麼心情，我們再也無以體貼無以幻設了——但幸好我們還有詩。

歷史不容詰問、不能重來。在時光機正式被發明之前；在此世的現實還沒有量子退坍縮成薛丁格虐貓事件*之前，至少我們還可以書寫。我們還可以讀詩。

杜牧（八〇三—八五二年）

字牧之，號樊川，是唐代傑出的詩人、散文家，宰相杜佑之孫，杜從鬱之子。其詩歌以七言絕句著稱，內容以詠史抒懷為，在晚唐成就頗高，世稱「小杜」以別杜甫，和李商隱合稱小李杜，著有《樊川文集》。

28 唐朝戰神蘇美

——李商隱〈北齊〉、〈齊宮詞〉

若說起晚唐詩歌流派，最值得一提的大概就是有「小李杜」之稱的李商隱與杜牧，前一篇我們介紹過杜牧那後設又充滿慧黠的詠史詩，以私我之小歷史向冰冷大歷史詰問。而說到李商隱，大家印象最深刻的大概是他的那些個〈無題〉詩，什麼莊生曉夢迷蝴蝶的，聽起來都色色的，不，我是說多情善感，但認真解讀起來卻又迷濛晦

＊薛丁格虐貓事件：指奧地利物理學家薛丁格（一八八七—一九六一）提出的「薛丁格貓」（Schrödinger's Cat）思想實驗。假設把一隻貓放進一個有氫化氧與放射性物質的封閉盒子裡，貓的性命存活與否會與原子核的狀態密切相關。但若不打開盒子，則貓永遠處於存活與死亡機率各百分之五十的狀態。從而科幻小說由此開展出蝴蝶效應與平行宇宙的無限可能。

澀，不知所謂。

到了宋初，仿效李商隱的詩體蔚為風行，號稱之曰「西崑體」，爾後的詩論有所謂「詩家總愛西崑好，獨恨無人作鄭箋」的評論，就是大家都愛學李商隱的詩，但就是遺憾沒有哆啦A夢的翻譯蒟蒻*可以來好好解釋一下。真想跟商隱大大說「阿鬼，你還是說中文吧」。

但其實李商隱的晦澀其來有自，他初涉政壇即牽涉了當時之牛李黨爭，許多真心話那是要講不可、欲說還休，只好寫寫這些濛曖無解的無題詩，若各位還記得，之前赴韓發展的藝人周子瑜，因拿咱的青天白日國旗慘遭對岸網民霸凌；在之後戴立忍又因對獨立與否的表態不明確，主演電影遭換角。要知道，當所謂的黨爭或意識型態，一旦戰到最狂最火的存亡之際，不要說表態與否了，身涉其間的我輩，連不表態的權利可能都將喪失。這時候我們反而更需要文學，需要那些充滿隱喻而歧路的詩，詩無達詁*，那些有如河流或水草的能指，以通往語言最繁複不可解的莫比烏斯環*背面。這反而創造出了他那些無題詩最明媚閃跳的藝術丰姿。

說了半天，這才要進入到本篇的正題，那麼多情異色，嫵媚溫婉的義山詩，當寫到詠史題材時，竟搖身一變成為晚唐版的戰神蘇美。其實說李商隱仇女這倒也未必，詩話讚揚他的詠史懷古詩「多持正論」，他雖然婊過各種妖治后妃，但也不是無中生有，未若母豬教那一套無差別攻擊。先來看李商隱兩首著名的〈北齊〉：

一笑相傾國便亡，何勞荊棘始堪傷。小憐玉體橫陳夜，已報周師入晉陽。

---

*翻譯蒟蒻：據推測應是日語「翻譯」（翻譯、ほんやく）讀作*hon-yaku*，與「蒟蒻」（蒟蒻、コンニャク）**kon-nyaku**音近。這種諧音是漫畫作家藤子不二雄在創造新道具時常利用的關係。效用是食用後，可與不同語言（包括外星語言）者對話無礙，亦可解譯文字，甚至可以和動物交談。時限方面雖有，但不一致。甚至有時會出現一個人吃後，在場所有人皆生效的情況。

*詩無達詁：是說詩句的意義沒有固定而確切的解釋。

*莫比烏斯環：又稱「莫比烏斯帶」（**Möbiusband**），是一種拓撲學結構，它只有個面（表面），和一個邊界。它是由德國數學家、天文學家莫比烏斯和約翰・李斯丁（**Johhan Benedict Listing**）在一八五八年發現的。這個結構可以用一個紙帶旋轉半圈再把兩端黏上之後輕而易舉地製作出來。事實上有兩種不同的莫比烏斯帶鏡像且相互對稱。

巧笑知堪敵萬機，傾城最在著戎衣。晉陽已陷休回顧，更請君王獵一圍。

這兩首詩諷刺的是北齊後主高緯與其愛妃馮小憐，這角色在林依晨和馮紹峰演的偶像劇《蘭陵王》裡也有出現，這詩光看詞面可能不大瞭，要配合詩本事來看一下。根據《北史・后妃傳》，馮淑妃小憐自進宮後就因個性慧黠又善解音律，受到高緯寵愛，高緯大大不管去哪都要帶上馬子一起去，這次他倆去圍場畋獵，沒想到北周就趁隙發兵晉陽：

周師之取平陽，帝獵於三堆，晉州亟告急。帝將還，淑妃請更殺一圍，帝從其言。……及帝至晉州，城已欲沒矣，作地道攻之，城陷十餘步，將士乘勢欲入。帝敕且止，召淑妃共觀之。淑妃妝點，不獲時至。周人以木拒塞，城遂不下。

從以上這段，看得出來我們的小憐水水只做錯的一件事就是遲到。晉陽告急傳來，她跟高緯要求說「糖糖腦公，人家難得穿獵裝打獵萌萌噠，還想再多打一場」，拜託，你以為是打電動再投十元就可以喔。結果回到晉州爽了吧，城池已然陷落。此時北齊放大絕使出地道戰，幾乎快攻進城了，高緯說揪抖馬爹*，找小憐一起來見證奇蹟的時刻，結果「淑妃妝點，不獲時至」，這超白話了吧？就是「拜託人家是女生耶，你要等人家啦」。「拜託人家是女生耶，出門要化妝耶」。拜託人家是女生耶，拜託人家是女生耶（跳針）。套一句鄉民名言：大腦這東西很棒，可惜她沒有。

所以再回頭看李商隱這詩，說小憐穿起打獵裝就傾國傾城，可以直接反攻大陸了，所以「晉陽已陷休回顧，更請君王獵一圍」——先別管什麼太平島了，你聽過Cosplay嗎？這簡直酸到PH值爆表啊。就算蘇美大穿越去唐朝，那種酸酸腐腐的酸民性格，商隱大大可能還略勝一籌。

另外一個被他婊到飛起來的皇后，則是南齊東昏侯的愛妃潘玉兒。據說潘妃原生家庭是作雜貨生意，所以她特別喜歡市集的雜沓感，東昏侯也陪她一起在後宮搞什麼

---

*揪抖馬爹：日文「等一下」的諧音。

夜市人生，讓潘妃當酒促妹，自己當豬肉榮*拿殺豬刀來玩，這種Cosplay的等級更高了，當時諺語說這叫「至尊屠肉，貴妃沽酒」，現在看西斯版這種角色扮演還滿增進夫妻情趣的，但在當時大概覺得成何體統。

而東昏侯這封號聽起來就很昏庸，確實，南齊的滅亡和他大有關聯，李商隱〈齊宮詞〉：

永壽兵來夜不扃，金蓮無復印中庭。梁臺歌管三更罷，猶自風搖九子鈴。

「永壽宮」是潘妃宮殿之一，東昏侯曾在宮殿鑿金蓮花，再要潘妃裸足走過，模仿釋迦牟尼的典故，這聽起來真的色色的，不確定東昏侯有沒有參考SOD美腳系列，爾後《金瓶梅》裡那個著名的女主角潘金蓮，就是從潘妃的典故脫胎而來。

這首詩後兩句更酸酸，因為東昏侯曾經「為潘妃起神仙、永壽、玉壽三殿，皆匝飾以金璧……莊嚴寺有玉九子鈴，外國寺佛面有光相，禪靈寺塔諸寶珥，皆剝取以施潘妃殿飾。」（《南史・東昏侯傳》），這拔佛寺的珮飾給北鼻用的舉動看起來滿浪漫滿sweet的，但仔細想有點怪怪的，妳叫腦公拆掉龍山寺的交趾陶給妳掛在房間看看，不怕遭到詛咒嗎？無論有沒有詛咒，南齊滅亡了，但梁齊易代，梁朝後宮裡依舊笳吹弦頌，歌舞不歇。

歷史總是驚人地相似，重複再重複。評論家大多認為李商隱這些詠史詩寫的清朗，實則暗諷當局時政。但如那句格言說的：歷史給人最大的教訓就是歷史不會給人任何教訓。就像那枚從佛寺拆下來裝點後宮的九子金鈴——它那麼美好，那麼無情，見證歷史朝代之興衰，卻依舊搖曳，無動於衷。但更多時候我們也只能縱身其中，一如這些無情物，扮演著旁觀者、眼巴巴望著歷史走向本該如此的灰飛煙滅終局，什麼也無能為力。

＊豬肉榮：看過黃飛鴻電影的人都知道黃師傅有兩個徒弟，一個叫梁寬，一個叫豬肉榮。豬肉榮原名林世榮，因緣巧合從學於軍中的教練黃飛鴻，後來才在廣州教拳，當時沒有人不知道林世榮的大名。

李商隱（約八一三—八五八年）

字義山，號玉谿生，又號樊南生，晚唐著名詩人。尤其「無題詩」為其獨具一格的創造，情思宛轉，辭藻精麗，卻多意指不明，後來元好問〈論詩絕句〉稱「詩家總愛西崑好，獨恨無人作鄭箋」。和杜牧合稱小李杜，與溫庭筠合稱為溫李。

29 一片歌手現在在幹嘛？

——張若虛〈春江花月夜〉

批踢踢鄉民喜歡玩一個無聊的老哏，記憶中某個藝人歌手曾經暴得其名，專輯狂銷電影熱賣，一夜間街知巷聞，但分明也沒傳出被封殺或婚嫁的新聞，就又忽然銷聲匿跡了，影劇版絲毫無掌故皆無可考索，也再無狗仔能窮盡其行蹤。時隔經年，偏偏又會有好記憶力的鄉民舊事再提，上八卦版問「×××現在在幹嘛？」這時鄉民們就會因題作答，根據提問的時間回答×××在吃飯、宵夜或準備睡覺。

我一直覺得這白痴造句式的問答看似聊賴，實則頗有哲理禪機。一個在藝能圈過曝的活躍偶像，即便曾經如何呼喚風雲、叱吒笑傲，但鉛華褪盡，光影黯淡的舞台紅布幔謝落的背後，他也不過是個一般人，和我們一樣柴米油鹽，吃喝拉撒。

但大夥終究會好奇啊。誰去了好樂迪或星聚點，點了首失蹤歌手的九〇年代神

曲，不同年齡差的同事怔忡驚詫，問這明星是誰，這首歌哪個年代的。這就是所謂的「一片歌手」，不限於僅出一片，但我們就憑著那首熟悉的旋律、鏗鏘的節奏，牢牢記住那個誰。

說起古典時期文學史流變裡的一片歌手，大概沒有誰比得過唐朝詩人張若虛來得更傳奇。我在學校的大一國文課，固定講授張若虛的〈春江花月夜〉，然而關於張若虛為人生平，我們所知極其有限，僅知道他是揚州人，曾任兗州兵曹。與賀知章、張旭、包融齊名，還搞了個類似少女時代的小團體，稱為「吳中四士」。

看過《唐伯虎點秋香》都知道，古代才子喜歡搞什麼封號，什麼蘇門四學士，江南四才子。但這種並稱最後往往只能紅一兩個人，像紅燒翅膀我最愛吃的唐伯虎，還有畫小雞吃米圖的祝枝山（以上純屬電影唬爛）。「吳中四士」裡張旭以草書聞名，而賀知章則以謫仙人稱讚李白，定調了李白其後的「詩仙」盛名。但說起張若虛，《全唐詩》裡僅收了他兩首詩，更神奇的是在明代以前這人早已湮沒無聞，是明代復古派的李攀龍編《古今詩刪》時，注意到他的〈春江花月夜〉這首奇詩，於是他重新登上唐詩經典作家之列，這時距離張若虛生存的年代，已經過了將近一千年，後來詩論說他「孤篇橫絕，竟成大家」，靠著一首詩重回文學史，肯定比九〇年代那些一片歌手的扯鈴還扯。

其實〈春江花月夜〉此題目乃樂府舊題，為六朝陳叔寶所創，內容偏向宮體閨怨，張這一首的後半段，同樣也講遊子思婦相隔千里，換成現代大概就是「糖糖腦公人家好想你」這種熊大捧花兔兔落淚的Line圖傳情，但張若虛寫此題，前半段極其魔幻，將閨怨詩的縱深推拉到難以想像的高度：

> 春江潮水連海平，海上明月共潮生。灩灩隨波千萬里，何處春江無月明。江流宛轉繞芳甸，月照花林皆似霰。空里流霜不覺飛，汀上白沙看不見。江天一色無纖塵，皎皎空中孤月輪。江畔何人初見月？江月何年初照人？人生代代無窮已，江月年年望相似。不知江月待何人，但見長江送流水。

前幾句作者描述了一個遠景，春江潮水注入海洋，一輪明月冉冉升起。因月色太過皎潔，在月光照耀之下，繽紛花林宛如結霜，汀州白沙彷彿去背。在這樣一個江天

一色毫無雜質的逢魔時刻，張若虛不是先拍照打卡上傳，而是提了個我們現在看來莫名卻依舊苦澀的叩問——「江畔何人初見月？江月何年初照人？」

這問題很白話，照字面翻的話有點像雞生蛋、飛矢辯或阿基里斯追龜的詭辯。若從演化論還是生物科技演進來探討，第一個在江畔被月色照耀的原始人可能是進化快要完成的類人猿露西，但這首詩要得到的回應，顯然不僅是這個標準答案。從更心理層次來說，人受到外界環境刺激而有反饋機制，但滿足了生存需求與現實安危後，才進一步進化到了美感體驗。此處的「望月」，詩人真正要問的是人類啟蒙以至於美感需求的哥白尼大轉移。

說得更白話，這首詩從字面的藝術雕琢進入到了哲學詰問，人生何其有限，但代代無窮，江月取之不竭，猶如宇宙大爆炸的無限擴張。我們中學教材必選的〈赤壁賦〉，什麼「江上之清風，山間之明月」，差不多就是這個主題的延續。要知道，人類真正展現高於其他生物之智能，就在於我們開始去叩問那些無邊界無正解的難題。像以前詩話說的，詩有可解、不可解、不必解，鏡花水月，空靈禪機。

之前曾有鄉民分析說我們中學背的詩詞，不外乎古人寫的廢文，像「白日依山盡，黃河入海流」或「前不見古人，後不見來者」——「前面沒人後面沒人，世界很大我哭哭了」，其實我不否認這些詰問草率、空靈的詩歌，以純粹意義的層次來說確實是廢文，但要說此廢即彼廢，直接等於鄉民幻想的廢文，倒也本質有別。古典詩歌的美感表現在延續、緩慢，枯寂與靜謐，唯有一切枯槁、蕭瑟、荒涼、恬靜揮發到極致之時，這種無限意涵的體會也就到了極致，唯有此刻，我們隱隱約趨近於無窮宇宙最深刻之能指。

我想這就是張若虛唯一一首代表作〈春江花月夜〉的密碼。何春無江花，何夜無明月，但當月色的皎潔被昇華到了美感層次，當江水的悠長被抬升到了宇宙級別，詩人才真正開始寫作一首詩。這首詩的表面可能看似與人生無涉，內裡可能不過是陳腔的意象與套語，但這不就是詩的本質？就算有朝一日我們眼前之文明成了荒島，這些文獻會以經典的姿態被留下來，證明一切的曾經存在，證明有些什麼還不曾煙消雲散。

張若虛（約六六〇—七二〇年）

字號不詳，初唐詩人，與賀知章、張旭、包融並成為「吳中四士」。其詩僅存二首，其中〈春江花月夜〉卻是唐詩的代表作，它沿用樂府舊題，抒寫真摯動人的離情別緒及富有哲理意味的人生感慨。

唐朝的魯蛇與勝利組

輯四

宋元的小確幸與大格局

30 在不平靜的新年遙想太平年代
——《東京夢華錄》

說起來很多鄉民實在不太喜歡過年，屏蔽那些惹人惱怒親戚的噓寒問暖，「什麼時候畢業」、「什麼時候買房／結婚」之類沒話找話聊，年假除了補眠補到飽、塞車塞到爆之外，實在找不出什麼積極的正能量。

但從神話人類學的角度來說，我們認知的整座世界不過是宇宙隨機碰撞的結果，那麼世界之一切都是相互感應、依據類比律而衍化生成的。像漢代陰陽宇宙論講的五行，像董仲舒《春秋繁露》講的天人感應，或像楊照解讀李維史陀的《世界就像一隻小風車》書中所引言：「世界就像一隻小風車，轉得我們眼花撩亂，但始終固定在不變的支點上。」當時間或節日通過之一瞬，我們的身體、行為或日常就得與之通感，這也就是這些節令、習俗與儀式的原始意義。

兩宋之際的孟元老，經歷靖康之難，從汴京離散到了江南，但他緬懷當年帝都年節的繁盛安樂，於是寫了《東京夢華錄》。「東京」指的就是北宋都城汴京（可不是D槽裡「東京熱」的東京），而那些年錯過的繁華煙雨，如今看來都宛如一場無痕春夢。這種懷舊傷逝的情結，在古典時期屢屢可見，我們之前談的《洛陽伽藍記》或《唐詩三百首》裡的詠懷金陵詩，大抵皆可放入這樣的脈絡。在《東京夢華錄》的序裡，孟元老說：

> 太平日久，人物繁阜，垂髫之童，但習鼓舞，班白之老，不識干戈，時節相次，各有觀賞。燈宵月夕，雪際花時，乞巧登高，教池游苑。舉目則青樓畫閣，繡戶珠簾，雕車競駐於天街，寶馬爭馳於御路……一旦兵火，靖康丙午之明年，出京南來，避地江左，情緒牢落，漸入桑榆。暗想當年，節物風流，人情和美，但成悵恨。

「太平」是一個充滿微妙與辯證的懸念，就像鄉民如今整天幹譙、看似紛亂頻仍

的我們鬼島，其實放進千年的維度縱軸，可能已是個相對太平祥和的盛世。「垂髫之童，但習鼓舞，班白之老，不識干戈」搬演到現代，就是高中社團花樣男女成天在捷運站地下街練著吉他熱舞；經歷過抗戰、內戰或太平洋戰爭的耆老凋零，大多數人不識電影或辭典之外的「戰爭」。於是乎我們的都會生活就有了更多餘韻和額度，一如孟元老再現的東京——「燈宵月夕，雪際花時」、「雕車競駐於天街，寶馬爭馳於御路」。

你不妨想像華燈初上的忠孝東路，點起元宵主燈（即便是隻意義不明生物）的國父紀念館，那就是「歌舞昇平」這個成語放進括弧、進而具象化的模樣。愛過才知道痛，失去才知道美好，這種情歌裡反覆濫調的格言，卻又是如此深刻地被謄寫在每一部經典之中。靖康亂後這些人情靜好的記憶都成了回憶，暗想流年，美好時代旋律全給偷換燒成灰燼，突梯彈成了感傷與悵然的音鍵。

《東京夢華錄》分為十卷，前五卷寫汴京的地景場所，年少輕狂的好日子一懂事就結束了，只留下重現過後的空間，而後五卷寫神聖時間節日的習俗，如寫除夕前：

近歲節，市井皆印賣門神、鍾馗、桃板、桃符，及財門鈍驢、回頭鹿馬、天行帖子。賣乾茄瓠、馬牙菜，膠牙餳之類，以備除夜之用。

寫初一：

正月一日年節，開封府放關撲三日。士庶自早互相慶賀，坊巷以食物動使果實柴炭之類，歌叫關撲。

寫元宵：

正月十五日元宵……遊人已集御街兩廊下。奇術異能，歌舞百戲，鱗鱗相切，樂聲嘈雜十餘里，擊丸蹴踘，踏索上竿。趙野人，倒吃冷淘。張九哥，吞鐵劍。

說起來這些記載不過如流水帳，讓當代寫作穿越指南或《過一個歡樂的宋朝新年》等書的作家，有相關文獻得以徵引資談。但我覺得這些片段，這些被文字靜止下來的鬧市街衢，本身就足以抵抗了時間，消停了遺忘，像《火影忍者》裡宇智波一族寫輪眼施展時的時空禁術——這些日常習俗成了記憶，永遠被記載下來。

我們如今讀這些紀錄，彷若還可以遙想當年喧騰雜沓的開封城，想像那些街頭藝人，雜耍走索、吞劍吐火的樣貌。一如眼下的我們，穿過信義威秀廣場，看遍街頭藝人的表演；繞經迪化街的年貨攤位、街旁堆著滿倉的春聯門神符紙和琳琅的糖果花生零食，那不只是儀式，更是一段剔透無瑕的最好時光寓言。

滾滾塵世，風雪消磨，青春或傷感的時間，一年又這麼過去。白駒過隙，晝短夜長，這些日常與通過儀式一方面成了憑弔，另一方面又提示我們得握緊掌心摻駁著汗漬的沙金。這可能就是這一套繁文縟節的意義。世界透過支點如風車般旋轉，而這就是我們與世界最隱密的聯繫。

《東京夢華錄》

作者為孟元老，共十卷，是一本描寫北宋宣和年間舊事的著作，內容主要是描述當時奢侈之社會風氣，保留了宋代當時歲時節慶的風物民情，足以一窺當時之習俗風貌。

31 翠蓮，我不要聽一個受害者的版本

——宋元話本〈快嘴李翠蓮〉

之前某校性侵事件所衍生出的道歉、被道歉、輿論與解職的流動，副本已經刷了好幾輪。我自己任職學術圈，雖不願聽「貴圈真亂」這酸訕語，但我圈派系權力結構之複雜，師友內幕黑函之疊嶂，數年間所見之怪現狀幾難勝數。一方面眼見鄉民網友幫高調的萬人響應，但另一方面圈內邪教何止某校某系，五嶽劍派盟主又何止滅絕師太或岳不群。

不過各位或許會疑惑，即便在如今這個網速狂飆，資訊量爆表，臉書隨時可以傳照直播的年代，仍有串證抹黑潑糞等齷齪新聞，那麼在相對封建保守、父權體制堅實的古典時期，這類將被害者打成加害者，利用強大話語權力剝奪他人之發言權與自主權的例證，恐怕何其普遍何其日常。而本篇所介紹，流傳於宋元時期的話本〈快嘴李

翠蓮〉，就是一個典型的、被害者受到整個庸常邪惡體制檢討、批鬥的故事。

按照話本設定，北宋時的東京（汴京）天龍國有一李員外，掌上明珠小字翠蓮，她年方二八，色藝雙全，「女紅針指，書史百家，無所不通」，唯一缺點就是嘴快了些。北方話講「快」通常作鋒利解，所以李翠蓮的「快嘴」不僅是語速快，更是反應快，何止伶牙俐齒，簡直牙尖嘴利。用鄉民說法就是嘴巴很壞講話很機，這篇標題改成「賤嘴李翠蓮」大概更中肯。

話說媒婆替翠蓮訂好親，嫁給門當戶對張員外的公子張狼，不要問我蟑螂這名字怎麼取的，總之我們暱稱他小強好了。結果好了迎娶當天儀式搞一堆，咱翠蓮一路罵，一開口就是落落長的押韻詩，嚇得眾人無言以對，最後連媒婆都被罵是老母狗，可見宋元當時庶民就已經用"Bitch"這詞罵人了。

我們不難想像在那個女性發聲權被壓抑霸凌的時代，講話機車又直率的女孩會遭到什麼待遇。她先嗆哥嫂再罵公婆，連婚密婚企都給她譙過一輪。最經典的就是洞房花燭夜，雖然情慾流動的場域不是發生在一樓電梯口，但說真的丈夫小強行為也是有點誇張，還沒徵得新娘翠蓮同意，脫了衣服就要上床給她流動一番：

且說張狼進得房，就脫衣服，正要上床，被翠蓮喝一聲，便道：「堪笑喬才你好差，端的是個野莊家。你是男兒我是女，爾自爾來咱是咱。你道我是你媳婦，莫言就是你渾家。那個媒人那個主？行甚麼財禮下甚麼茶？多少豬羊雞鵝酒？甚麼花紅到我家？……這裡不是煙花巷，又不是小娘兒家，不管三七二十一，我一頓拳頭打得你滿地爬。」

這段話前面或許有些市儈，算計到提親的聘禮，說不定會被母豬教徒當成是愛錢敗金。但我覺得最後這段才算講到重點。在那個父權律法的全景敞視之下，女性只能物化淪為財貨。「煙花巷」就是紅燈區性專區，「小娘兒家」類似那種一樓一鳳的個體戶，但翠蓮分明也是明媒正娶，難道只能淪為洩慾工具？

就在這張狼全家經歷三天風雨紛擾，內憂外患，難以還原的現場後，公婆終於受不鳥找來翠蓮，想給她當面培力一番，問她身為一個快嘴在這幾天經歷了什麼。未料翠蓮說了一大段義正詞嚴、分明是踩在道歉者的位置上，卻讀之讓人心酸且心疼的劃線警句：

公是大，婆是大，伯伯姆姆且坐下。兩個老的休得罵，且聽媳婦來稟話：你兒媳婦也不村，你兒媳婦也不詐。從小生來性剛直，話兒說了心無掛。公婆不必苦憎嫌，十分不然休了罷。……記得幾個古賢人：張良蒯文通說話，陸賈蕭何快掉文，子建楊修也不亞，蘇秦張儀說六國，晏嬰管仲說五霸，六計陳平李佐車，十二甘羅並子夏。這些古人能說話，齊家治國平天下。公公要奴不說話，將我口兒縫住罷！

這一段說下來九四霸氣九四狂，比卡堤諾狂新聞的咕狗小姐還溜，說得公婆連開記者會被鬧場的機會都沒了，給超過八十七分也很合理。我覺得最警醒的應該是翠蓮舉了張良、蒯通、曹植楊修和蘇秦張儀，最後結論是「這些古人能說話，齊家治國平天下」。這段話脈絡很明確，上述古人事實就等同於男人，而翠蓮作為一個快嘴的女人沒有經驗可以分享，只能被檢討、被道歉、被噤聲。

之前兼課時教這篇話本，我和同學補充印度女性主義者斯皮瓦克（Gayatri C. Spivak）的論文〈屬下能說話嗎〉。「屬下」（Subaltern）原指的印度種姓制度的賤

民階級，然而斯皮瓦克將之隱喻女性，在父權體制底下喪失話語權。結論中斯皮瓦克認為屬下不能說話，她們只能在洗衣店裡枯坐，瞪著再無好奇的眼瞳，看著一群與自己毫無關聯的群體。

〈快嘴李翠蓮〉的最後一幕，翠蓮帶著嫁妝和休書回到娘家，但娘家也無她容身之處，就像電影裡那句「戚秦氏，你還有什麼話說」，於是她決心遁入空門。這可能是在一切都異常了的古典時期，無所見容於天地的女孩，唯一也是最後的生存之道。故事末了，翠蓮為我們留下了幾句如今讀來豁達卻又莫名哀感的六言詩：

不戀榮華富貴，一心情願出家。
身披一領錦袈裟，常把數珠懸掛。
每日持齋把素，終朝酌水獻花。
縱然不做得菩薩，修得個小佛兒也罷。

就學術史的脈絡來說，〈快嘴李翠蓮〉很可能是宋元城市興起經濟體系中，勾欄瓦舍*的一種表演文體，但同樣也是當時女性地位與社會階級的真實折射。當年的李翠蓮理當成了菩薩，但從此這系統性的邪惡體制仍然繼續運作，造就出千千萬個翠蓮們。門派茁壯時，岳不群們與他的五嶽派排闥而來，以名派正宗自居，錙錙算計分霑資源；門派一旦癱了殘了，這才驚恐於過去的尊養朝夕間一無所有。

文學提示我們沒有什麼絕對善惡對錯，更無確鑿的受害者與加害者版本，但我覺得網路時代可能是一個改變的契機。從此李翠蓮們也可以說話了。即便她說的話有時難聽、有時沒禮貌。但她們本該有權力替自己說話。

＊勾欄瓦舍：是宋元戲曲在城市中的主要表演場所，相當於現在的戲院。

32 安安給虧嗎？

——宋朝灑花版《花間集》

我在初任教職兵馬倥傯的動盪時光裡，兼職代庖教過幾年的詞選。我們現在都會講「唐詩」、「宋詞」，但相傳詞起源於李白〈菩薩蠻〉和〈憶秦娥〉，到了晚唐詞體發展就已經趨於成熟，溫庭筠、韋莊等專業詞家的出現，替爾後宋詞時代奠定了基礎，再加上「堂廡特大」的馮延巳，「變伶工之詞而為士大夫之詞」的李後主，「詞」這個文體於是乎正式成為宋朝文學的代表。

中學時我們都還能背幾首代表作，像李後主的「春花秋月何時了」，歐陽修的「庭院深深深幾許」（只是我始終沒算出正確的排列組合方式），就知道宋詞影響力之廣泛。但事實上婉約綺麗、猶如靜物寫生的風格，才是詞這個文類的本色當行，而這樣的詞風確立要追溯自五代時編成的第一本詞選集《花間集》。

《花間集》這標題聽起來就色色的，不，我是說多情旖旎，也確實，曲子詞原本就作於花間月下，寫於歌妓皓齒，觥籌交錯的筵席場面。第三十七篇介紹蘇東坡的那些豪放詞，被批評曰句讀不葺，音律不協，寫得太狂了，但詞誕生的場景本來就無須豪放，也不求比興（到了清代的常州詞派才搞那一套），想一群（男）文人到了那卡西店，召來傳播妹，酒酣耳熱，仰而賦詞，立馬填好詞譜就讓歌伶即席演唱，這樣一個紊亂、情色而玉軟溫香的光景，講什麼尚義光大？講什麼文以載道？就好像上八卦版不發廢文似的，根本是來亂的嘛。

於是乎我們如今看《花間集》，寫的大多是女孩兒心事，關於那些錯過了花期雨季，誤遞了良人歸期的傷春情結，絮絮叨叨，絲絲纏纏，堪稱是五代時候的批踢踢女孩版（亦稱灑花版）。這一陣子八卦版的肥宅大軍與灑花版劍拔弩張，酣戰男女亂未休，但要知道仇女情結梳理到最內在最細膩，其實可能是愛極而不可得的悲劇元素。我們看收錄於《花間集》開卷第一首的溫庭筠〈菩薩蠻〉，即是典型：

小山重疊金明滅，鬢雲欲度香腮雪。懶起畫蛾眉，弄粧梳洗遲。照花前後鏡，

花面交相映。新帖繡羅襦，雙雙金鷓鴣。

「小山」指屏風，「鬢雲」和「香腮」都敘述這閨閣妝奩裡的正妹各種嬌俏嫵媚的形象，照這形容大概是表特三十推等級的。你不妨想像如果在冬夜（其實應該是春天），一個女人，在她的閨房裡睏熊霸*，日上三竿了，終於起床梳妝。先上乳液、打粉底，畫眼線，刷睫毛（還好工具人沒有在樓下等、不然大概不必約會了）。

這首詞完全以摹狀寫場景、寫器物，沒有交代人物心理變化，但何以懶起、何以梳妝遲，何以照鏡，都在在暗示女孩失去了良人疼愛，錯過美好青春終於走向遲暮荒蕪的結局。

女為悅己者容，但如花似玉的容顏，香腮粉面的俏臉，再無人愛賞無人回收的情境裡，該如何是好？我不是母豬教徒，但思婦題材確實在描寫夜裡哭哭的意象。在那個還沒有汪踢氧氣版的時代，詞裡的女孩選擇了一個更靜態含蓄的行動，就是繡那件成雙鷓鴣的羅襦。那是最後的期待了，一對依偎的眷鳥，一次無悔的守候，還有一段推遲的愛情。

《花間集》多寫這樣的少女懷春心事，確實滿有灑花版傾向，但也還是有另類的題材，像張泌的〈江城子〉：

浣花溪上見卿卿，臉波明，黛眉輕。綠雲高綰，金簇小蜻蜓。好是問他來得麼？和笑道，莫多情。

說起來張泌是個滿冷門的作家，如今所見他的詞僅存三詞牌，但這首〈江城子〉堪稱神作，詞不甚深，語不甚俗，我猜他也是鄉民肥宅兄弟這等級的，在還沒有聯誼約ㄆ神器的年代，他在浣花溪畔遇見了正妹一枚，還給人家逕自取了個疊字暱稱「卿卿」。

「小蜻蜓」指卿卿女的蜻蜓髮簪，我猜現在上淘寶也買得到。但我們邂逅或陷入迷酚單戀，構築粉紅色泡沫氣旋的核心，往往就是來自於這些細節——女孩微笑時的側

＊睏熊霸：閩南語「睡太飽」諧音。

臉、用以紮馬尾隨便繫在手腕上的呢絨髮圈，長髮飄颺起的洗髮精氣味，或白皙脖頸淡淡的薰衣草香。愛情的費羅蒙或胺基酸被具現化成各種描寫，成了這裡的形容，宛如整座世界般偌大的心靈金字塔。

接著詞人終於耐不住寂寞而搭訕了。「告白就是自爆」這句鄉民名言，顯然當時還未盛行。我們現在問「安安幾歲住哪」，當時搭訕發語詞可能是「來得麼」，要不要一起來，要不要衝一發之類的（是要衝什麼啦）。而情節中的女孩兒也如典型正妹的回應如出一轍：「（笑著說）免肖想」。

這些說起來搞笑出糗、瞎謅意淫的男作家凝視，就這麼開創了一派陰性的、溫婉的、多情而靜態化的想像，於是「詩莊詞媚」，詞就此確立起了婉約、陰柔的文類特質，成為文學史另外一種體類而被遺留下來，成為經典。《花間集》影響到了南唐二主，以及北宋的歐陽修、晏殊，這就是歷史。它往往在我們意想不到的某個錯身，變成了如今的模樣。

《花間集》

中國文學史上的第一部詞集，為五代時後蜀趙崇祚所纂輯，內容多寫上層貴婦美人日常生活和裝飾容貌，女人素以花比，寫女人之媚的詞集故稱花間。以溫庭筠詞居於首篇，又將韋莊則與溫詞並稱，代表《花間集》中兩種主要風格。

33 我做叫高雅，你做叫低俗

——晏殊的富貴論

之前有幾椿新聞讓人覺得興味盎然。首先是蜷川實花來台開攝影展，太多人打卡自拍，導致看展動線阻塞，寶寶有苦說不出，然後網友就爆氣了，結論是說台灣人看展也僅是為了虛榮心，不在乎自我美感之提升。再來是某作家學者時經多年，重遊京都，未料一景一物天長地久之古都，早已在日幣連貶、廉航之亂的大環境下，今非昔比。然後他也爆氣了，開始批評那些未解「花見」傳統而穿著毫無質感和服的台灣妹，不僅匱乏美感、甚至有礙觀瞻。

這些看起來很狂的論題，背後可能牽扯到美學教育、經濟與文化資本的落差與習性生成的積累。這些所論者多了，雅俗固然來自於單純的美學教育，但也很有可能輕易坎陷進階級與世代對立。但何以再挑此題，我以為其中的雅俗論還值得更深入討論。

說起來，「雅」、「俗」是一個極其複雜且充滿辯證的課題。如錢鍾書《寫在人生邊上》所說：一種原本雅緻的舉止品味，當仿效的人數多了氾濫了，本來雅的事物也就淪為了俗。所以庸人畫虎類狗，雅地那麼俗，而雅人卻能變石為寶、點鐵成金，俗地那麼雅。雅俗於是就成了隨時得以輪替、逆轉的美學。

那麼各位可能會想問——到底有沒有一絕對的、高尚而孤拔的美感或品味，是別人難以模仿而渾然天成的，還有就是，這與本篇所談的——北宋婉約派詞人晏殊，到底有什麼關聯？

晏殊有幾首名詞流傳甚廣，像他那兩首〈浣溪沙〉「一曲新詞酒一杯」、「一向年光有限身」，必然會是《宋詞三百首》這等選集的必蒐之作。除此之外，身家顯赫、官運亨通的晏殊，在詞學史上更重要的意義可能是他所開展的「富貴氣象」。

之前我們說過，詞原本就誕生於花間樽前，不同於蘇軾的豪放灑脫、柳永的俚氣俗趣，晏殊將詞之堂廡格局更加擴寫，開展出一種閒愁，那可是有錢有閒的長輩獨沽的美感，當然，在那個不容易上臉書被引戰，或因拉仇恨值而召來覺醒青年圍剿的年代，晏殊長輩是可以在那邊大談他的富貴格局。

吳處厚的《青箱雜記》有一段關於晏殊論詞的富貴氣象的紀錄，讓我們對當時所謂的富貴貧相、高雅低俗，有著更全面的體貼：

晏元獻公雖起田里，而文章富貴，出於天然。嘗覽李慶孫〈富貴曲〉云：「軸裝曲譜金書字，樹記花名玉篆牌」。公曰：「此乃乞兒相，未嘗諳富貴者」。故公每吟詠富貴，不言金玉錦繡，而唯說其氣象。若「樓台側畔楊花過，簾幕中間燕子飛」，「梨花院落溶溶月，柳絮池塘淡淡風」之類是也。故公自以此句語人曰「窮兒家有這景致也無？」

這一段內容實在很妙。話說晏公他長輩看某李姓作家寫了首〈富貴曲〉，其中有兩句「軸裝曲譜金書字，樹記花名玉篆牌」，聽起來好棒棒，但晏殊說簡直俗擱有力到不行，哪個好野人會把自己家裡從內到外，從浴缸到馬桶都搞成黃金的？這跟什麼大廳選用花鋼建材、夏目漱石的建案廣告有得拚。簡直比穿醜和服去賞櫻花還丟臉。

那麼何謂富貴氣象，晏公講了自己寫的幾句詞來印證，像什麼「梨花院落溶溶月，柳絮池塘淡淡風」這種，看起來一般般，但要知道富貴追求到了最高級，圖的就是這種閒適，燕子飛進家裡飛好久都飛不出去，因為我家太大了咩；這邊看梨花，那邊折楊柳，因為我家9527奴工太多了咩。

我們現在很難想像前近代的經濟體，豪門望族的院落臺榭會有多別緻多豪奢，但誠如日本庭院著名的枯山水，樓閣臺榭之美乃是一種極靜謐、極閒適的靜態美、禪風美，絕對不會是表面的雕欄砌玉、寶氣珠光。當然，晏殊強調的更是一種心境上的高雅，那種「我把你們當人看」的自命清高氣度，並不是一般黔首百姓得以習成。

我不是批評晏殊孤高，只是這樣富貴境界，若聽在當前覺醒青年耳裡，那不就跟總統「不運動就是懶」或副座「無薪假應該得諾貝爾獎」之優越感類似？但真正脫俗的富貴氣，表現出來便是這般從容、恬靜與慢活。就像晏殊收錄《宋詞三百首》的名作：

> 一曲新詞酒一杯，去年天氣舊池台，夕陽西下幾時回？無可奈何花落去，似曾相識燕歸來，小園香徑獨徘徊。

淺酌了美酒、吟詠了新詞，踱步於自家園林，小園皇居，朕即天下。然而夕陽終究要西沉，春天終究要消逝，如花如燕，如青春、如夢境。說了好幾句其實什麼都沒講，但這樣夠了。因為這就是天生而成的富貴與品味，從各種角度假設，這闋詞都無法出於窮人家或暴發戶手筆。

當然我們會想到這樣的悠哉與樂活，建立在作者身為真正的勝利組，他不必要牽涉社會制度與階級的競爭，也不用如暴發戶那樣急切地炫富。就譜詞而言，晏殊開啟了閒適風氣，但若時空置換到今日，我揣度他會很悲劇地淪為另一個被戰的長輩罷了。

晏殊（九九一—一〇五五年）

字同叔，北宋著名文學家、政治家，范仲淹和歐陽修均出其門下。婉約派詞人之一，尤擅小令，風格含蓄婉麗，吸收南唐花間派和馮延巳的典雅流麗，開創了北宋婉約的詞風。與其子晏幾道被稱為「大晏」、「小晏」。

---

34 昔日紅酒趴，今日苦哈哈

——晏幾道的落魄悲歌

上一篇我們講了仕途順水順風、與歐陽修一同開出北宋詞閒適恬淡氣象的晏殊。其實歐陽修公也頗值得一說，我們以前高中都讀過瞎米〈醉翁亭記〉，什麼政通人和，縱情山水，反正古文八大家風格差不多就那樣，歲歲年年，假假掰掰。

但說起詞壇曲子界的歐陽公，那可是另外一番風情，比如說他那首著名的、數學課排列組合都會出成題目的〈蝶戀花〉「庭院深深深幾許」，爾後被瓊瑤阿姨引用寫出《庭院深深》，堪稱八〇年代台版《暮光之城》。這闋詞最末兩句「淚眼問花花不語，亂紅飛過鞦韆去」，根本不用翻譯也覺得太經典，太銷魂，摧心折肺，寸斷柔腸，問花早知不語又何必閃閃淚光？落花既然無話卻又何苦亂紅紛飛？把閨中思婦的愁思縷縷描寫地何其露骨。

不過這次介紹的重點不是晏、歐兩位北宋詞壇大手筆，而是隨晏殊身後，家道中落的富二代晏幾道。和父親晏殊並舉，文學史稱兩人為大小晏，小晏今存詞兩百多首，輯有《小山詞》。我知道我們對富二代官二代難免有一典型想像，例如什麼三歲自耕農，三十歲副總裁，修過幾堂課就足以當商學院教授，有黨證行遍天下，逢人自我介紹「大哥您好，我父親是×××」。但在那樣一個君主集權的年代，一個上層豪族仍會遭遇各種因緣，輕易陸沉下僚。

就我們如今所悉的晏幾道生平，他確實度過了一段優渥靜好，無傷而無憂的流金時光，白雲蒼狗，星河光塵，年少輕狂的好日子一懂事就結束了，如幻夢如泡影，但最疼最難堪的莫過於手掌心曾經握住全世界，如今一無所有。

由奢入儉難，晏幾道大概是最極端的例子，我不確定若可以選擇，他會不會寧可出生就是魯蛇而毫無轉圜之地，但那些曾經有過的煙花好景，分明已成夢境卻栩栩如真的細節，卻如此真實地糾結著他，如那首收錄《宋詞三百首》的〈臨江仙〉：

夢後樓臺高鎖，酒醒簾幕低垂。去年春恨卻來時，落花人獨立，微雨燕雙飛。

記得小蘋初見，兩重心字羅衣。琵琶弦上說相思，當時明月在，曾照彩雲歸。

小山詞經常出現夢和酒的意象，那些恍惚迷濛、氤曖如夏日煙塵的往昔時光，對他來說是唯一的現實，於是爾後的時光就顯得再無清醒的必要。在某個宿醉未醒的迷茫時分，他想到了去年的一場微雨，以及女孩佇立花雨春燕的景象。詞裡明確提到小蘋這個名字，提到她那件雙重心字羅衫，但她們仍依稀而不真切，像跑馬燈裡剪紙倒影的人形。

時移事往，我們懷念某些人或事，往往只剩下那些細節。你可能會想起女孩奔跑時馬尾晃動的弧度，微笑時抿起嘴如貓咪的線條。想起那過曝夏日裡的窄巷，走在白線上小心翼翼的虎斑色野貓，怕熱，怕潮，怕雨，悄悄走在停車場的分隔白線。關於這闋詞，晏幾道有個序，因此我們才知道他不僅寫小蘋一個女孩：

> 始時，沈廉叔、陳君寵，家有蓮、鴻、蘋、雲，品清謳娛客。每得一解，即以草授諸兒。吾三人持酒聽之，為一笑樂。

「蓮、鴻、蘋、雲」這幾個歌女，代表的都是晏幾道青春時光的符號。當時他們才完成一首曲，立刻將草稿交給了這幾個女孩，讓她們即席演唱。如今人物皆非，那些宴會、文稿和歌聲就此靜止了。於是我們才讀懂「當時明月在，曾照彩雲歸」這句善感而易碎的句子，那些彩雲、明月的意象，原來都是密碼，都是那些愛過的人們，都是再也回不來的回憶。

若我們還記得之前晏殊嘲笑別人的家貧窮，炫耀自己笙歌院落、燈火樓台的富貴氣象，那麼再來看他兒子這落魄與難堪，實在很諷刺。晏幾道的詞很真，很誠實，甚至太真了，真得沁肌入骨，真得不忍逼視。我記得村上春樹在《遇見百分百女孩》裡的句子——「一個強大的帝國潰敗的時候，比一個二流共和國還要感傷。」眼見一個富二代的落魄，大概不外乎如此吧。最後我們只記得小山那些沉湎過往的傷逝之詞：

小令尊前見玉簫，銀燈一曲太妖嬈。歌中醉倒誰能恨？唱罷歸來酒未消。
春悄悄，夜迢迢，碧雲天共楚宮遙。夢魂慣得無拘檢，又踏楊花過謝橋。

我在想對西斯版三十歲還是魔法師的鄉民來說，當過富二代、風花雪月過的晏幾道，或許已堪稱勝利組，但我總想起他對青春、對盛世執拗的身影。「謝橋」指的就是青樓，雖然不至於等同於吃魚喝茶，但那就是晏幾道少年時流連的遊廓之地，章台走馬，金迷紙醉。

俱往矣，每當又在八卦版或政黑版，討論或引戰哪一個官二代富二代，依憑父祖輩之膏腴、橫向移植繼承了財富、地位和人生勝利光環熠熠時，我就會想起晏幾道，想起村上春樹隱喻裡那個衰敗的、分裂的、從此一蹶不振的帝國。這會有多疼多苦，會有多沉痛，大概同樣是與富貴氣象無緣的我們難以想像的。

歐陽修（一〇〇七—一〇七二年）

字永叔，號醉翁，又號六一居士，北宋政治家、文學家，唐宋八大家之一。官至翰林學士、樞密副使、參知政事，諡號文忠。文學方面，是唐代韓愈、柳宗元所倡導之古文運動的繼承者及推動者，為古文的發展做出了巨大的貢獻。

晏幾道（一〇三八—一一一〇年）

字叔原，號小山，北宋詞人晏殊的第七子，與其父晏殊合稱「二晏」。其小令語言清麗，感情深摯，尤負盛名，是婉約派的重要作家，有《小山詞》留世。

35 這是最後一次分離了，但你卻渾然未覺

——柳永〈雨霖鈴〉

前陣子，鄉民一度熱切討論關於八大特種行業的話題，後來戰得硝煙四起，兵戎倥傯。說起來有時我們一面假道學大談什麼職業無貴賤，另一方面當談及性專區設立、酒店文化或傳播娛樂公司之黑歷史時，又顯得鬼祟猥瑣，欲說不得。

但我想無論是哪個時代，那些青樓煙雨，花柳粉黛，難免讓讀者帶入各種有色又旖旎的想像。

古典時期流連聲色場所的作家文人太多了，但柳永絕對是其中最狂的一個。何止像杜牧「十年一覺揚州夢」，柳永幾近半生流連風月場，相傳身後由歌妓「合金葬之」，此後清明時節，汴京群妓更舉辦「弔柳會」以悼念他。此等倜儻豔事已經有如傳說，真相不可考。爾後明代馮夢龍《三言》裡有一篇〈眾名妓春風悼柳七〉，是小

說還是野史，再難以釐清考據。

我們之前就說過「詩莊詞媚」、「詞本艷科」，既然詞成於花間酒前，因此寫歌妓寫豔情，那是理所當然的題材。常看西斯版的鄉民都知道，一旦酒店妹和你自陳身世，說自己零丁孤苦之淒涼經歷，那可是要暈船被推坑的前兆。只是以前那個時代的八大行業歌妓，難免還是有些惹人憐惜的故事。加上柳永的詞以傖俗俚趣著稱，當時流行語「凡有井水處，皆能歌柳詞」，我看坊間的宋詞普及書，經常將柳永比作方文山或林夕等詞人，但以其詞流傳之廣，語言意境之通俗，可能在我們這個時代還找不到足以與他比擬的作詞人。

講身世際遇，講江湖傳說，柳永太多傳奇，愈悲愈緩，無以承受。但說起他詞裡的代表作，一般必定提到選在《宋詞三百首》中，且幾個中學國文版本都有選錄的〈雨霖鈴〉：

寒蟬淒切，對長亭晚，驟雨初歇。都門帳飲無緒，方留戀處，蘭舟催發。執手相看淚眼，竟無語凝噎。念去去、千里煙波，暮靄沈沈楚天闊。多情自古傷離

> 別，更那堪，冷落清秋節。今宵酒醒何處？楊柳岸、曉風殘月。此去經年，應是良辰好景虛設。便縱有，千種風情，更與何人說？

前面說柳永詞俚趣，說他雅俗共賞，所以這首長調雖然絮絮叨叨，字面解釋並不太困難。在深秋的時節與對方分離了，有很多話想說，最後竟只剩哭哭和淚眼。多情的人原本就難以承受離別之景，更何況在清冷時節。於是此去契闊，寶寶心裡縱然有千種風情，寶寶也不說了。

北宋時演唱者就將柳永這闋詞和東坡〈念奴嬌〉「大江東去」作對照組，呈顯宋詞的豪放與婉約。但我覺得這詞最機巧最癡美之處，在於他將離別情境幻設到了一個難以想像的境界。早在柳永前一千年，江淹〈別賦〉就寫過「黯然消魂者，唯別而已矣」的體貼，爾後〈別賦〉被周星馳逆寫戲擬成了「黯然消魂飯」，黯什麼然、消什麼魂飯可能是另一個故事，但爾後作家如何狀離別之景，就成為一個超越的課題。

〈雨霖鈴〉這詞的前半闋講送別的正在進行式，講凝結時間幻夢般的一瞬間姿態，難分難捨，然而蘭舟已催發，這不就張秀卿「火車已經到車站」的意象？欲語無話，

唯有淚先流，若這是一齣MV鏡頭，背景音樂大概就是梁靜茹的「如果哪一天／我們都發現／好聚好散不過是種遮掩」。

柳永這詞最濛曖執迷的應該是下半闋，之前我每次喝茫酒醒，你總在我身邊，但從此我們分道揚鑣，明天一個人的我依然會微笑，但當我清醒時，這才恍然發現周遭從此空無一人。植有楊柳的堤岸，清晨的冷風，天邊一抹將翳未翳的殘月。誰還記得是誰先說永遠的愛我，過了太久沒人記得當初那些感動。但多情的人終究會記得啊。所以此去一別，沒有妳的歌聲與記憶的時間裡，那些良辰美景，橙紅橘綠，海上花開，再也沒有了意義。沒有你的世界，再也沒有了意義。

就像張小嫻在《三月裡的幸福餅》的格言——「每一次相聚都是為了離別」，這種同情共感，這種極古典卻又極現代的感染力，可能是柳永的獨家門牆。那一幢幢雋永又細膩，感傷又執拗的畫面，就像我們記憶裡都有過的——凌晨你和哪個女孩騎過滿是婚紗街的中山北路，她奢言有天也能穿起哪片櫥窗裡最美的蓬裙白紗。臨別時你為她溫柔摘下安全帽，順手理好她因青春而飽含光澤的秀髮。那是最後一次離別了，但你渾然未覺。

她轉身就踏進華燈初歇的市民大道，你們誰也沒和對方揮手，但你記得她微笑時抿起嘴唇的線條，可愛地猶如填充玩偶。如果我們當時就知道這次的離別是永別了，或像張小嫻那個格言的複寫，人生只若初見，是否會在另一個平行宇宙的量子坍縮前重新選擇，或像電影《蝴蝶效應》似的，讓這段因緣從來不曾發生？但回憶不容半分假設，就和戀愛本身一樣。

此去經年，每當再臨了這樣好景無人傾說的一瞬，我就再次想起柳永，想起他那些幻美蜿蜒，簡直比現在流行歌還貼切還寫真的詞，想起那些錯過的離別斷面。

柳永（約九八七—一〇五三年）

字耆卿，原名三變，北宋著名詞人，婉約派詞人的代表。他對詞的發展貢獻很大，是慢詞這種長篇形式的開創者，不限於士大夫常用的小令，拓展了宋詞的形式，並擴大詞的視野，主要描寫男女之情與羈旅行役，坦率生動，直言無隱，不避口語。

36 表現最豁達的人，常常最放不下

——東坡與歪腰郵筒

之前學測出了個作文題目「我看歪腰郵筒」，閱卷老師出來開記者會，說學生硬扯陶淵明、蘇東坡，簡直把閱卷老師當傻瓜。即便這則新聞又被鄉民罵翻，說老師出廢題當然收回了廢文云云，但論起寫作、文學與考試的複雜機巧，這可能又是另一個大哉問。

眾所周知——大考作文有其規範形式，從早年的解救大陸同胞於水深火熱之中；或去大湖採草莓途中望見腥紅點點的草莓斑，想起了黃花崗烈士的鮮血之類。近幾年「台灣性」風行，作文的收尾還得來一段這就是台灣人樂觀進取的精神，或台灣最美的風景是人者流反身性廣告詞。

在諸如此宛若科舉競技的學測腦力壓縮下創作，蘇東坡或柳宗元被反覆穢土轉生給召喚出來，作為烘托題旨的精神指標，或比興寄託的箭垛人物，也就不讓人意外了。

之前說過，我初任教職在師資匱乏、危急存亡之際，曾暫代課過幾年詞選，即便與唐詩並列中國文學兩大韻文，宋詞不乏婉約派格律派的代表作家，但同學最熟悉最念念的仍是東坡。關於蘇軾的選集、評傳藏書浩繁，近來迭掀話題、曾於白色恐怖期間下獄的李一冰，其《蘇東坡新傳》更重新出版，蘇軾的生平從遊，與其弟蘇轍的堅實情感，大概都是我們研讀東坡詩文的背景史料。

雖然我對這樣的偏狹稍有微詞，但蘇軾作為中學教材必選的古文八大家之一，其生平事蹟大部分讀者都很熟稔，他少年及第，身涉黨爭，接著捲入烏臺詩案，幾經貶謫，黃州、惠州以至於海南島的海角天涯，都有他的流放履跡。若說他足以與學測作文必寫的「林書豪」、「陳樹菊」、「力克・胡哲」並列為幾大勵志人物，甚至說他代表的正是「人生何處不歪腰」的隱喻，倒也不能說全無憑據。

但摒開這些為文造情，為分數踐文的倒灶鳥事，我覺得蘇軾之文學價值，其真正可貴之處不在於那些曠達的結論而已，拿他那首幽居黃州時期所寫的〈臨江仙〉為例：

夜飲東坡醒復醉，歸來仿佛三更。家童鼻息已雷鳴，敲門都不應，倚帳聽江聲。長恨此身非我有，何時忘卻營營。夜闌風靜縠紋平，小舟從此逝，江海寄餘生。

「東坡」原指蘇軾家宅東邊坡陂，而後成了其字號。這首詞清暢簡利，幾乎不用翻譯，喝酒喝太茫了，回家半夜三更了，連Doorman都洗洗睡了，還打鼾很大，於是蘇軾只好自個兒到江邊吹冷風，真想點一首林憶蓮的〈為你我受冷風吹〉給他。然而筆調陡轉，詞的後半闋蘇軾勾擘了一個很魔幻的意象。「長恨此身非我有」的「恨」，與他同樣收錄《蘇東坡詞選》那首名詞〈水調歌頭〉的「不應有恨，何事常向別時圓」意同筆墨，「恨」不同於今義，在古文中多半作「遺憾」解釋，那麼無論說的是「長恨」還是「不應恨」，都是無限憾恨的隱喻說辭。

「長恨此身」這句詞說得太貼切又太執迷了，身體不是我的，生命無以掌控，卻又何時一刻能忘卻營營？我想起黃羊川的《身體不知道》，想起朱天文《花憶前身》裡那句宣言：「有身體好好」，但也因為我們終究身留於此，所以這些羈絆、疼痛，愛與傷逝，始終糾結著我們。於是東坡得出了一個結論，不如搞個編舟計畫，拍一部老年坡的奇幻漂流，出發去找那虛幻空靈的神山仙島。

這首詞完成後還有個後續。根據葉夢得《避暑錄話》，詞寫成的隔天：

> 喧傳子瞻夜作此詞，掛冠服江邊，拏舟長嘯去矣。郡守徐君猷聞之，驚且懼，以為州失罪人，急命駕往謁，則子瞻鼻鼾如雷，猶未興也。

太守徐君猷誤將這闋詞當成了遺書，還以為蘇軾真的給他租漁船逃到台灣去了（誤），於是馬上衝去探視，這才發現坡老終於進了家門，換他在家補眠，鼾聲不輸給Doorman。我覺得這段軼事，可能指向了蘇軾真正值得我們徵引在作文裡的形象。他是真心希望擺脫這滾滾塵世的束縛，然而位列仙班了，身仍在清涼淨土，度脫不得。

正是因為我們誰也無法真正擺脫這些執迷愛染，身體給予的痛與歡快，生命給予的無奈無常與驚喜，所以我們依舊身存此世。真正的豁達是不可能的，那或許是王維、柳宗元或莊子抵達的境界，但不是蘇軾的。

有多痛恨這個世界，就有多愛這個世界。所以東坡一次又一次陷入迷障，自我辯證，再自我療癒，看似比誰都灑脫地在執著，看似比誰都認真地在哀傷。這也可能是下篇要談的那首名作〈定風波〉，也無風雨也無晴的是物色、是大自然，但人之所以為人就在於我們情之所鍾，因懂得而慈悲，因不能忘懷而憂患。但還好我們還生存於世界之中。

37 東坡啊，詞不是這樣寫地

——宋詞豪放派

作為詩、詞、文、書法諸成就賅備的大學士，後代對蘇軾的評價甚高。不過我的詞選課並沒有花太多篇幅講東坡詞。文學史談一個體類發展，多半從所謂的「本色」與「別格」區辨，東坡創造出詞的豪放一體，怎麼看都只能算是本色之外的異調。

當然，古典時期論作家與作品優劣，往往不是如新批評那樣，將文本剝離於時代語境，以意逆志。就像劉勰《文心雕龍》的〈才略篇〉所說：「位尊而減價，勢窘而溢才」，對應批踢踢，如鄉民經常有事沒事婊藝人、譙明星，然而一旦婚變了摔傷燒傷了，風向一朝一瞬說變就變。這未必是「同理心」運算的結果，試想——被劈腿情變的藝人，獨力振作而開出演藝事業第二巔峰；受過不可逆創傷的偶像，不再靠外表而是憑著永不放棄的決心，堅持站上殘酷舞台……

這可能就是龜兔賽跑的辯證，地才超越天才，魯蛇憑著熱血與夥伴打敗大魔王的卡通哏，但我們終究喜歡勵志故事——受盡磨折、百死千難卻仍不願輕易放手，渡盡永劫回歸後的成就，比起平步青雲、靠爸靠爺，三歲自耕農，三十歲當執行長、當副總裁來得撼動人心。

上一篇才談過蘇軾的流貶謫降之旅，而論其文學成就，尤其是他開展的豪放詞派，就有點這種感覺。

要知道我們說「詩莊詞媚」，詞本來就是酒前歌筵的產物，是琵琶緩奏，女伶皓齒演唱的題材，壓根沒有「豪放」之體。然而《蘇東坡詞選》裡幾首豪放名著〈念奴嬌〉（大江東去）、〈定風波〉（莫聽穿林打葉聲），還有那首豪放詞代表的〈江城子〉，怎麼讀都顯得太陽剛：

老夫聊發少年狂，左牽黃，右擎蒼。錦帽貂裘，千騎捲平岡。為報傾城隨太守，親射虎，看孫郎。　酒酣胸膽尚開張，鬢微霜，又何妨。持節雲中，何日遣馮唐？會挽雕弓如滿月，西北望，射天狼。

蘇軾另有一首傷逝亡妻的〈江城子〉（十年生死兩茫茫），然而比起來這首廉頗老矣尚能飯的畋獵詞，更能展現豪放詞派的風格。那些硬磐磐、虎狠狠的典故、語氣和意象，霸氣外露，黃狗蒼鷹，錦帽貂裘，大概就辛棄疾寫孫仲謀的那首「年少萬兜鍪，坐斷東南戰未休」得以與之匹敵。注釋多半認為這首詞最末的「西北望，射天狼」指的是邊地外患，隱喻的是西北方強敵西夏。這麼說來卓爾不群的大學士，理當也有過壯志報國的一腔熱血。

然而回到詞所誕生的酒筵歌席，這樣的題材與意象怎麼看難免違和。你不妨揣想大夥下了班去好樂迪、星聚點K歌歡唱，你酒酣耳熱搶來麥克風，一開口唱將起來什麼〈九條好漢在一班〉還〈中國的駱駝〉此等軍歌，雄壯威武，旁邊晾著一群準備好要唱徐佳瑩、范瑋琪的女同事情何以堪？因此俞文豹《吹劍續錄》裡有一則東坡與幕友的對話，將他與北宋另一名詞人柳永作了對比：

> 東坡在玉堂，有幕士善謳，因問：「我詞比柳詞何如？」對曰：「柳郎中詞，只合十七八女孩兒執紅牙拍板，唱楊柳岸曉風殘月。學士詞，須關西大漢，執

鐵板，唱大江東去。」

說起來柳永即便終生不遂意，然流連青樓，連入葬都靠歌妓集資，在鄉民標準裡已堪稱人生勝利組。這段看似對舉兩人詞風，實則多少貶大於褒。至於李清照批評東坡、歐陽修等更直接，說這些大男人學究天人，「直如酌蠡水於大海，然皆句讀不葺之詩爾，又往往不協音律」。

音律到底對於一首詞有多重要，我們幾難想像了。然而撇開那些對大學士而言小家子氣的批評，每逢學測指考，又一道勵志題組被命題委員欽點，蘇軾與他的貶謫悲劇、豁達精神，又要被從靈縛葬棺裡召喚一次。什麼「莫聽穿林打葉聲，何妨吟嘯且徐行」，什麼「竹杖芒鞋輕勝馬」的，說起來那幅〈定風波〉營造的意象，我看來彷若《那些年》裡柯景騰在大雨中狂奔，喊著「大笨蛋」的經典一幕，有點天真愚騃，加上有點中二，如此罷了。

不過如上篇所說，東坡之所以為東坡，可能就在於他不若老莊或陶潛。他始終妄想超脫，卻又反覆執迷於紅塵現世。我倒是想舉他另外一首寫給其朋友王定國（不是寫《敵人的櫻花》那個王定國）與其歌妓柔奴的〈定風波〉：

> 常羨人間琢玉郎，天應乞與點酥娘。自作清歌傳皓齒，風起，雪飛炎海變清涼。　萬里歸來年愈少，微笑，笑時猶帶嶺梅香。試問嶺南應不好？卻道：此心安處是吾鄉。

這首詞有個本事，王定國同遭烏臺詩案牽連，被貶至廣州，歌妓柔奴隨行。爾後他們遇赦北歸，與蘇軾重逢。同是天涯淪落人，蘇軾問：「廣南風土，應是不好？」柔奴答「此心安處，便是吾鄉」。這可能是蘇大學士始終未及的境界，於是乎這段極生活、極日常又極口語的事件，就被草率謄寫變成了一首詞。但至關鍵處它依然很美，想像歌女微笑時猶若發光的臉龐，因年輕而浮現的淡藍色靜脈。嶺南瘴癘地，但有她的笑靨與她的歌聲，雪飛炎融，他鄉終成了故鄉。

惟獨蘇軾做不到。但正因為他做不到，於是我們有了東坡，有了那分明不合格律，卻依舊很美很動人的曲子。

蘇軾（一〇三七—一一〇一年）

字子瞻，號東坡居士，北宋文豪、藝術家，其散文、詩、詞、賦均成就極高，且擅書法和繪畫，是中國文學藝術史上罕見的全才，與父親蘇洵、弟蘇轍合稱「三蘇」，同為唐宋古文八大家。其詞開創詞壇「豪放」一派，改變了晚唐、五代以來綺靡的詞風。

38 反串最高境界

——元曲裡的酸民們

鄉民對當前我們這個低薪、高房價、高工時的我島，經常戲謔或帶幾分悲憤地將之稱為鬼島，然而若對長久於中原開展文明的漢族士人來說，十三世紀的元朝，大概就是當時的鬼島。

隨蒙古大軍長驅直入，宋朝的最後一個皇帝趙昺年僅八歲，卻比麻雀還衰小，在崖山被朝臣背著投海自盡，這不就是傳說中的被自殺嗎？只是說九四狂。此後漢族成了受歧視的族群，蒙古人似乎學印度種姓制度那套，將統治子民根據人種分為四等，於是過去憑科舉晉身朝堂，懷抱經世濟民志業的知識分子，成了最下等的「南人」，再無資格擔任重要官員。

近來學術圈有「崖山之後無中國」的說法，各方論戰未休。此說也不是全然無

理，但多少基於今日台之於對岸的那個強國之威脅論想像。然而事實是，漢族心目中輝煌的漢唐典章與盛世，到了元代可說是終焉矣。於是代表元代經典體類的元曲，悠忽登上文學史舞台。但在那樣一個文明湮滅、禮崩樂壞的荒蕪小時代，曲既作稱為詞餘，比起誕生於歌筵酒席的詞還更為低俗粗疏。而那些身處十三世紀的作家，將滿腔的怨毒與肚爛全寄託到了散曲之中，即便有張可久這樣較典雅的曲家，但曲子之本色成了粗豪叫囂，惡搞反串。有PH值低到爆的酸文，也有降生窮凶極惡的年代、不得不淪為魯蛇的悲歌。所以若當真是資深鄉民，實在要一讀元曲，或許能從中反身得到些許救贖。

若要舉幾首元曲的反串經典，《元曲三百首》必選的關漢卿〈四塊玉〉，應該是代表作：

南畝耕，東山臥，世態人情經歷多，閒將往事思量過，賢的是他，愚的是我，爭甚麼？（關漢卿〈四塊玉〉）

元曲經常出現「東山」，字面來解釋是指東邊山坡，但典故實則源於東晉時的謝安於東山歸隱。但要知道，六朝那種王謝大族的歸隱田園，可能是幾百人莊園經濟體的運作，而不若元代或我島、魯蛇領二十二K受不了不幹了，躲到野嶺拾荒當遊民作資源回收那種隱居。所以關漢卿的想像或許有點浪漫，但實際上不太可能。

這首曲非常白話，其實曲大多很白話，大家瞅一眼就懂。「出社會好些年了，想想這些年人際浮沉，往事歷歷，最後我得到了個結論，人家溫拿好棒棒，我是魯蛇好衰小，比三小？」這曲說起來很豁達，但豁達到最內裡，再用八卦版邏輯檢證，難免讀出字行間的高級反串意圖。在抑鬱不得志的大時代、在那個六百年前的硬幣另一面之鬼島，賢和愚，有能與無能，慧黠與駑鈍，似乎都不能依據字面來解釋。諸如這樣的感慨，某位無名氏曾有一首〈朝天子〉曲，表述得更明確更直白：

> 不讀書有權，不識字有錢，不曉事倒有人誇薦。老天只任忒心偏，賢和愚無分辨。挫折英雄，消磨良善，越聰明越寒蹇。志高如魯連，德過如閔騫，依本分只落的人輕賤。

看看（幹嘛立綱上身啊我），這首曲要不是註明成於元代，是不是白話直截到以為從批踢踢抄錄下來的？不讀書有權例子滿多的，讀書讀太多有權其實也未必好。至於不識字有錢，嗯哼就更不用說了，不是有頂什麼新的老闆，連食用油和黑心油都文盲看嘸，給他黑白亂摻。老天爺太偏心，分不清賢愚良窳，害得蛇蛇哥我好端端一個人才，志向高遠如魯仲連、德才兼備如閔子騫，卻因老實本份，淪為如今的魯蛇一條。讀這首曲之悲憤怨歎，嫉俗無奈，那種「別人的性命是框金又包銀」的感傷，讓我想點一首玖壹壹的〈明天擱再來〉給他——「一步一腳印／我來慢慢過難關／我相信天公伯會來疼咱」。

當然，前面說的是很直接的幹譙文諷刺文，然而我們常說文人是酸儒腐儒，酸酸反串可不是當代酸民特有技能，更進一步來說，酸訕譏諷，那是人類智慧進展到一新的里程，腦洞大開，對於人生悲嘆與無常，行有餘力面對後的一種豁達與度脫，其實境界比起忿怨詈礙要高得多，就是曲風以典麗婉約著稱的張可久，也寫過這一類的反串曲：

人皆嫌命窘，誰不見錢親？水晶丸入麵糊盆，才沾粘便滾。文章糊了盛錢囤，
門庭改作迷魂陣，清廉貶入睡餛飩。葫蘆提倒穩。（〈醉太平〉）

這曲字面也很白話，每個ＩＤ上站都自介說自己魯蛇肥宅，但幹譙了半天誰不都是為了錢。所以別在那邊么鬼裝小心了，假掰不如糊里糊塗歪哥貪財就對了。你說拜託，這曲講得超中肯不像是反串吧？確實作者表述了自己於人事浮沉之體貼，但這曲除了字面反諷，更以遊戲鑲嵌的方式，將「水晶丸」、「麵糊」、「餛飩」、「葫蘆」等食物諧音都填入曲中，類似鄉民寫的藏頭詩效果，所以很大的機率是高級反串無誤。

另外馮惟敏有一首〈賽鴻秋〉，更是一酸還有一酸酸，酸到深處無怨尤：

論形容合不著公卿相，看丰標也沒有搊搜樣，量衙門又省了交盤賬，告尊官便
准俺歸休狀。廣開方便門，大展包容量，換春衣直到東山上。

這首讀起來是曲，其實也是辭呈，不過我猜作者也只是寫爽的，大概不會真的當

辭呈交給長官。曲在說自己外表就不像當官的，也不會到處去致詞剪綵什麼的（絕無隱射某剪綵王），乾脆請長官趕快行個方便，讓自己告老還鄉去領月退十八趴了吧。

在此曲最末，春衣與東山的隱逸意象又再次出現，就如我們之前談莊子、陶淵明和蘇軾時說的，歸隱田居或許是每一代文人的嚮往，如永劫回歸，但真正能超脫世俗羈絆，乘舟浮於江海的人物，歷史上少之又少。太多的文人終究身留此世，被困在設定好了的身世之中，周旋不能。但沒有這些被大時代大歷史碾壓的文人，我們也就讀不到這些酸到浹肌透髓的高級反串作品。永遠對抗著世界，說什麼也不輕易妥協，或許就是古典時期的鄉民們給我們最深刻的提示。

關漢卿（一二二〇—一二八〇年）

號「己齋叟」，元代戲劇、散曲作家，為「元曲四大家」之首，以雜劇的成就最大，今知有六十七部，現存十八部，最著名的是《竇娥冤》。他的散曲，內容豐富多彩，格調清新剛勁，被譽為曲家聖人。

PTT

鄉民小辭典

- 基友（頁22）：BL（Boy's Love）專用術語，指兄弟以上男男戀未滿的好哥們。
- 中二（頁23）：「中二病」的簡稱，即中學二年的自我與幼稚症頭，如今泛指活在自己幻想世界裡的屁孩行為。
- 抖M（頁25）：跟SM有關，指虐待傾向與受虐傾向。抖就是日文ド，抖S即ドS，指有虐人傾向。ド加在前面表示程度嚴重，抖M即有被虐傾向。
- 八嘎囧、飆仔（頁39）：八嘎囧又稱8＋9，飆仔即飆車族，鄉民多將中輟小流氓以此兩類族群稱之，然而事實上未必可以偏概全。
- 中信體（頁39）：即「忠信體」的諧音字，指名嘴胡忠信獨特的用語和句法。
- 慣老闆（頁45）：起因金融海嘯時，業界大老批評新世代草莓族，創造出一新詞彙「慣寶寶」，爾後鄉民照樣造句，以「慣老闆」來稱呼奴役員工的資方代表。
- 「你聽過安麗嗎？」（頁48）：為過去直銷著名的用語，後被鄉民調侃成為搭訕的發話詞。

- 巴大蝴（頁58）：寶可夢的種類之一，為女主角小霞最愛的寶可夢之一。
- 表特（頁60）：表特即 Beauty 的音譯，指批踢踢的美女版。
- 逆癡漢（頁60）：「癡漢」乃日文變態、色狼之意，而「逆癡漢」是日本成人片的一種類型，指以女性作為變態非禮他人的行為。
- 積積陰陰（頁61）：出處乃鄉民投稿飲冰室茶集的情色歪詩，諧音西斯版常用術語 GGININ（雞雞硬硬）以避其諱。
- 約ㄆ（頁64）：又稱「約砲」，即相約一夜情之意。
- 西斯版（頁67）：即 Sex 的音譯，與「表特」同概念。
- 公道價八萬一（頁82）：批踢踢紅人、修車師傅平偉的著名台詞，起源於某鄉民因修車費八萬一太過昂貴，與平偉起爭議，平偉脫口嗆聲的台詞。
- ㄈㄈ尺妹（頁91）：ㄈㄈ尺即 CCR 之意，CCR 是 Cross Cultural Romance 縮寫，跨文化戀愛的意思。
- 初音是我老婆（頁94）：初音即「初音未來」，乃是 Crypton Future Media 以語音合成引擎為基礎，開發販售的虛擬女性歌手軟體。鄉民多以「初音是我老婆」自婊或自嘲，用以強化宅男形象。

- 在五樓床上（頁104）：五樓即推文序列第五位，出自八卦版問某某明星現在在哪裡的鬧版推文。
- SOD（頁105）：即Soft on Demand，日本大型的獨立系AV、GV成人影片製作公司，每年製作超過一千部影片，以新技術及新概念企劃聞名，近年並開始一般動畫及電視節目的製作。
- GG（頁129）：原為網路遊戲術語God Game之意，指被對方擊敗而恭喜對方獲勝，後直接用其「完結了」、「掰了」、"Game Over"之意。
- 戰神蘇美（頁175）：sumade或常被稱作戰神，是PTT的名人。活躍的版面有西斯版、男女版、mentalk版等，至少在二○○七年已開始相當活躍。因為他針對男女戀愛等相關問題發表言論很犀利中肯，而且戰力超強（尤其戰女性），因此受到這幾個版版眾的熱烈支持。
- 阿鬼，你還是說中文吧（頁176）：周星馳拍攝的電影《功夫》中，有一名叫油炸鬼、愛說英文的早餐店老闆，使用五郎八卦棍，與敵人力戰後臨死之前講了○○七史恩・康納萊的台詞"What are you prepared to do?"，但是包租公卻聽不懂，就造成了這一句台詞的產生。意思就是聽不懂他人說的話。

- 母豬教（頁177）：是PTT中的一個虛擬組織，教主為obov，站在強烈仇女的立場，針對各種拜金行為女性以「母豬」定義之，而提出的言論被鄉民以母豬教稱之。
- 放大絕（頁179）：即格鬥遊戲「放大絕招」的簡稱，指的是一用就能把對手打敗的招式。
- 九四狂（頁201）：「就是狂」的諧音。「狂」為近來大學生流行語。
- 三十推等級（頁206）：指推文數到達三十以上，在一般討論版算是人氣頗高的文章。
- 工具人（頁206）：指男生為了女生勞心勞力（也有女工具人），比方幫忙修電腦、修手機，或是幫忙搬家、接送等，而其實女生一點都不在乎，因為根本就沒有把他當成戀愛對象，只是當工具在使用。
- 汪踢版、氧氣版（頁206）：汪踢即Wanted版的音譯，氧氣即O_2（AllTogether）版的音譯，這兩個版都是批踢踢上用來聯誼、認識異性的重要討論區。
- 9527（頁213）：即周星馳在電影《唐伯虎點秋香》中，以華安為假名潛入華府賣身為奴，由武狀元所取的終生代號。
- 三十歲魔法師（頁219）：是一款手機遊戲，主角是個宅宅，沒工作沒朋友沒女友，為了消滅放閃的情侶而戰鬥，後衍生為三十歲還是處男即轉職成為魔法師。
- 政黑版（頁219）：指PoliteHate版，專門用以吐槽或批評政治人物，「黑」即Hate的音譯。

當代名家・祁立峰作品集2

讀古文撞到鄉民：走跳江湖欲練神功的國學秘笈

2017年1月初版　　定價：新臺幣290元
2023年12月初版第十二刷

著者　祁立峰
叢書主編　林芳瑜
內文排版　林淑慧
美術設計　逗點創制
插圖　馬賽克2D

出版者　聯經出版事業股份有限公司
地址　新北市汐止區大同路一段369號1樓
叢書主編電話　(02)86925588轉5318
台北聯經書房　台北市新生南路三段94號
電話　(02)23620308
郵政劃撥帳戶第0100559-3號
郵撥電話　(02)23620308
印刷者　文聯彩色製版印刷有限公司
總經銷　聯合發行股份有限公司
發行所　新北市新店區寶橋路235巷6弄6號
電話　(02)29178022

副總編輯　陳逸華
總編輯　涂豐恩
總經理　陳芝宇
社長　羅國俊
發行人　林載爵

行政院新聞局出版事業登記證局版臺業字第0130號

本書如有缺頁，破損，倒裝請寄回台北聯經書房更換。　ISBN 978-957-08-4861-8 (平裝)
聯經網址 http://www.linkingbooks.com.tw
電子信箱 e-mail:linking@udngroup.com

國家圖書館出版品預行編目資料

讀古文撞到鄉民：走跳江湖欲練神功的國學秘笈/祁立峰著．初版．新北市．聯經．2017年1月（民106年）．248面．14.8×21公分（當代名家・祁立峰作品集2）
ISBN 978-957-08-4861-8（平裝）
[2023年12月初版第十二刷]

1.漢學

030　　105024219